BRIAN LUMLEY
LATRY

BRIAN LUMLEY
LATRY

Przekład:
Jakub Filas,
Agnieszka Kochan

vis-à-vis
etiuda
Kraków 2014

Tytuł oryginału: *The Fly-By-Nights*

Copyright THE FLY-BY-NIGHTS © 2011 Brian Lumley

Copyright © for this edition by Wydawnictwo Vis-à-vis Etiuda,
Cracow 2014

Przekład: Jakub Filas i Agnieszka Kochan

Projekt okładki: Marcin Wojciechowski

Korekta: Humbert Muh

Redakcja techniczna i łamanie: Anna Atanaziewicz

Wydawnictwo Vis-à-vis Etiuda spółka z o.o.
30-549 Kraków, ul. Traugutta 16b/9
tel. 12 423 52 74, kom. 600 442 702
e-mail: visavis_etiuda@interia.pl, biuro@etiuda.net
www.etiuda.net

Druk: Colonel S.A.
Kraków, ul. Dąbrowskiego 16

ISBN: 978-83-7998-019-2

1

Eskorta sunęła wśród głuszy nocy po terenach przypominających pobojowisko. Jej członkowie nie nosili mundurów. Brakowało im odzienia w kolorze khaki i jakichkolwiek innych elementów świadczących o wojskowej proweniencji – odznaczeń, naramienników, szewronów: nie mieli na sobie niczego, co Garth Slattery widziałby wcześniej na podniszczonych kartach zmurszałej książki odłożonej przez niego na jedną z paru zakurzonych półek służących w Southern Refuge za bibliotekę. A jednak gdy patrzyło się na nich pokonujących w łagodnym świetle gwiezdnej konstelacji kolejne kilometry owego zagraconego ugoru, zdawali się być znacznie bliżsi żołnierzom niż zwykłym cywilom.

Powód tego stanu rzeczy nie był specjalnie dziwny: ta będąca w nieustannym ruchu wspólnota znajdowała się w stanie wojny. Ale nie tylko grupa, do której należał Garth, zmuszona była do nieustannej walki. Wszyscy ludzie, czy raczej ich niedobitki włóczące się gdzieś po świecie w wymierających stadach, musieli przyjmować na siebie rolę wojownika.

Ich działania wojenne trudno byłoby jednak nazwać ofensywnymi, nie była to nawet wojna w jej klasycznym rozumieniu. Ludzie zostali zepchnięci do defensywy. Starcia, które toczyli, wynikały zazwyczaj z przypadkowych spotkań z ich odrażającym przeciwnikiem, a nie z zaplanowanych zasadzek czy przemyślanych działań ze strony wroga. Oznacza to, że zanim karawana dotrze do swojego celu – jednego z ostatnich istniejących schronień, miejsca, jak wierzono, bezpiecznego i spokojnego – będzie musiała odeprzeć straszliwe ataki żądnych krwi latrów, które choć częste, są zupełnie nieprzewidywalne.

Do tej pory – całe szczęście – grupy latrów nie były zbyt liczne, a przynajmniej nie tak bardzo, aby samą liczebnością przerażać. Pojawiały się jednak regularnie, atakując nagle i nieoczekiwanie o każdej porze – to jest o każdej porze nocy. Któż o zdrowych zmysłach ruszałby się bowiem gdziekolwiek za dnia?

Nie chcieli robić tego ludzie, a tym bardziej ich szkaradny przeciwnik – latry! Nienawidziły one i bały się słońca, co świadczyło o tym, że obdarzone były jakąś formą inteligencji. Mimo bezmyślności, którą przejawiały w czasie walki, nauczyły się unikać groźnych promieni słonecznych i poruszać nocą, stąd też nadano im przydomek nocnych wojowników. Promieniowanie było niebezpieczne zarówno dla ludzi, jak i latrów, ale to dla tych drugich stanowiło ono szczególne zagrożenie, ich śmierć w słońcu była o wiele pewniejsza i znacznie szybsza.

Takie myśli towarzyszyły młodemu Garthowi Slattery'emu, który siedział obok swojego ojca w trzęsącym się wozie jadącym mniej więcej pośrodku kolumny. Patrząc z ukosa na Zacha Slattery'ego i dyskretnie obserwując innych, w duchu powracał do przeszłości. Jak dawniej? Siedem, osiem tygodni, a może więcej? Był pewien, że ktoś liczył dni, czy raczej noce. W każdym razie powracał do czasów zaraz przed exodusem ze skażonego Southern Refuge, kiedy to wszyscy: mężczyźni, kobiety i dzieci, łącznie stanowiący grupę dwustu siedmiu ludzi, zostali wezwani na zebranie zwołane przez Big Jona Lamona.

Big Jon, przywódca Southern Refuge, dobrze zbudowany, szorstki, twardo stąpający po ziemi mężczyzna mający na karku ponad 30 lat, co czyniło go jednym z najstarszych ludzi, miał wiele powodów, by zabrać głos, i wiele do przekazania w swej niespotykanie długiej mowie. Garth Slattery zapamiętał ową przemowę niemalże słowo w słowo, gdyż jego staruszek, Zach, zalecił mu słuchać jej nader uważnie, tłumacząc, że będą to prawdopodobnie najważniejsze zdania, jakie kiedykolwiek usłyszy. Albowiem przyszłość, a nawet przeżycie ludzi z Southern Refuge, często nazywających siebie klanem, było zagrożone. Fakt ten nie mógł nie wywołać dyskusji, której to wynik stanowiłby punkt przełomowy w stupięćdziesięcioletniej historii klanu. Zach Slattery wiedział o tym doskonale, ponieważ Big Jon Lamon zwierzył mu się przed mową, prosząc swojego starego przyjaciela i towarzysza o radę…

– Do zwołania tego spotkania zmusiły mnie ostatnie straszliwe wydarzenia – rozpoczął Big Jon. Jego niski i szorstki głos wypełnił środkową część jaskini, która służyła klanowi jako magazyn i warsztat, a także – w chwilach takich jak ta – jako miejsce spotkań. Jego mównicę stanowiła platforma wniesiona przy kamiennej ścianie pozwalająca siedzącym w półokręgu licznie zgromadzonym doskonale słyszeć, jak i widzieć swojego przywódcę. Mówił on wolno, lecz stanowczo. – Omówię najpierw zdarzenia, o których wie, z konieczności, tylko garstka z was: dramatyczne zdarzenia, które wymagają dramatycznych, ale nieuniknionych kroków. A potem… potem… – Big Jon Lamon przerwał, omiatając swymi szarymi oczyma siedzący w milczeniu tłum. Jego marsowa twarz nigdy nie wyglądała tak poważnie jak teraz, mimo że w przeszłości zmagał się z niejednym ważkim problemem. – Potem powiem dokładniej o jednym z tych kroków – kontynuował – z przykrą świadomością, że wywoła on w was równie straszne myśli co u mnie. Powiem o ciężkich czasach, które na nas czekają; o trudnościach i zagrożeniach, z którymi musimy się zmierzyć i które musimy pokonać, jeśli chcemy, by nasze dzieci miały przyszłość, jeśli chcemy, by nasz gatunek nie wymarł.

Wśród słuchaczy dało się zauważyć poruszenie. Na słowa Big Jona Lamona tłum zareagował okrzykiem zdumienia, który szybko przerodził się w rozpaczliwy jęk: znak świadczący o tym, że wszyscy zaczynali rozumieć, do czego zmierza ich lider. Szczególnie siedzący wśród widowni technicy mieli wiele powodów, by przeczuwać, że kolejne słowa ujawnią najgorszy możliwy scenariusz wydarzeń.

Trzymając w powietrzu swoją spracowaną rękę, która uspokoiła zebranych na tyle, że pomimo niepokoju nie zadawali żadnych pytań, Big Jon Lamon kontynuował:

– Do takiego przekonania dotarłem po konsultacjach z radą i wysłuchaniu wskazówek naszej starszyzny. Ale choć jestem waszym wodzem, a mądrość starszych jest ogromna, to stanowimy tylko garstkę naszego klanu. Dlatego też każda decyzja dotycząca przyszłości musi zostać podjęta przez was i wasze rodziny. Zwołałem to spotkanie z przeświadczeniem, że jakakolwiek decyzja zostanie podjęta, musi ona pochodzić od was. Wybór jest ograniczony, a każde rozwiązanie niesie sobą inne trudy i problemy, ale nikt, jakkolwiek mądry, nie może dokonywać go za was.

Ja podjąłem już swoją osobistą decyzję – osobistą, gdyż jedyną moją rodziną jest klan – ale o tym powiem później. Na razie trzy rzeczy są pewne. Po pierwsze: nie można zwlekać ani przekładać niczego na jutro, bo jutro może nigdy nie nadejść. Po drugie: nasze możliwości są jakie są, ale wyboru nie da się uniknąć. Po trzecie: musimy działać szybko, najpóźniej w ciągu najbliższych paru dni, gdyż każda stracona sekunda może być tragiczna w skutkach.

Big Jon Lamon ponownie uniósł rękę, powstrzymując w ten sposób wszelkie możliwe protesty, i ciągnął:

– Pozwólcie, że się pośpieszę… W pewnym sensie fortuna nam sprzyja, jakkolwiek absurdalnie nie brzmiałoby to w obecnej sytuacji. Ale uwierzcie mi, że nie wszystko jest stracone, przynajmniej nie na razie, a sprawy mogłyby mieć się o wiele gorzej. A jak źle jest? Nie będę owijał w bawełnę. Doskonale wiecie, że naszą wodę czerpiemy z dwóch głęboko wydrążonych studni. Wodę, która była czysta, odświeżająca, wodę, której zawsze było pod dostatkiem – aż do tej pory.

Reakcja zebranych zaskoczyła Big Jon Lamona. Usłyszał jęki przerażenia, nieudolnie stłumione okrzyki niepokoju, i poczuł, jak tłum przysuwa się coraz bliżej niego, by nie przegapić żadnego słowa, widział płaczące kobiety nerwowo dociskające swoje dzieci do piersi. Spodziewał się jednak bardziej dramatycznego wybuchu. Zdawał sobie bowiem sprawę, że część strachu związanego z niepewną przyszłością klanu musiała udzielić się reszcie jego członków, być może dotarły do nich nawet pełniejsze informacje o sytuacji, w której się znajdowali. Na pewno nie zdziwiłoby go to, biorąc pod uwagę liczebność i zżycie tej społeczności.

Podczas gdy tłum zbliżał się coraz bliżej, Big Jon Lamon ponownie uniósł rękę do góry i mocnym głosem zażądał:

– Czekajcie i wysłuchajcie mnie!

Wrzawa nieco opadła, więc kontynuował:

– Dobrze… a teraz w sprawie wody. Jak już wspomniałem, mamy dwie studnie. Jedna z nich dostarcza wody zwierzętom, dzięki którym mamy jedzenie, ubrania i nawozy. Druga służy nam do mycia, kąpieli i podlewania upraw, odświeża też jezioro, z którego wyławialiśmy zawsze określoną ilość ryb, co przez ostatnie półtora roku z powodu plagi pasożytów nie przynosiło specjalnie imponujących efektów…

Big Jon Lamon zmarszczył brwi i zamilkł na chwilę, by pozbierać myśli.

– Ach, tak – ciągnął dalej po chwili. – Nie możemy zapominać o małych ilościach wody używanych do chłodzenia silników pracujących w pojazdach kierowanych przez nasze jednostki zbieraczy, które nie lękając się latrów, badają przy świetle księżyca i gwiazd pozostałości po dawnych miastach. Mówiąc krótko – kontynuował – woda była i jest dla nas wszystkim, bez niej nie moglibyśmy i nie możemy przetrwać. Mówię to nie po to, by was zatrwożyć, bo sami pewnie zauważyliście już rozmaite choroby zwierząt, lecz po to, by przygotować was na to, co było podejrzewane, jeśli nie wyrażane wprost, mianowicie nasze studnie, obie studnie, zostały skażone! Po tylu latach promieniowanie jądrowe z powierzchni ostatecznie dotarło w głąb ziemi, do wody. Wiele zwierząt zostało zatrutych, wiele z nich umiera. Oznacza to, że ich mięso, mleko czy jajka również są zatrute i nie możemy ich jeść. Co z kolei oznacza, że musimy *wziąć ze sobą* tyle silnych i zdrowych stworzeń, ile tylko możemy, ocalając ich przyszłość dla ocalenia naszej…

Otóż to! Z nagłą ostatecznością zaledwie trzech słów – *wziąć ze sobą* – nierealne stało się pewne. Idea, nierealny pomysł masowego exodusu z Southern Refuge, o którym nigdy nie myślano poważnie, miał stać się faktem. Jeszcze przed chwilą można było mieć nadzieję, że po złych wiadomościach przyjdzie czas na dobre albo że Big Jon Lamon wyciągnie jakiegoś królika z kapelusza, mówił w końcu o „sprzyjającej fortunie". Teraz owa nadzieja ulatywała jak powietrze z przekłutego balonu.

Po raz kolejny spodziewając się wybuchu nerwowych pytań i rozpaczliwych prób zaprzeczania rzeczywistości, Big Jon Lamon zamilkł. Od razu poczuł jednak rosnący nacisk wzburzonego tłumu, którego ledwie stłumiony strach mógł wkrótce przeobrazić się w krzyki i wrzaski. Przerażenie zgromadzonych było tak wielkie, że Big Jon Lamon obawiał się zbiorowej paniki.

Wtedy ostatni raz wstał, uniósł dłoń i przemówił jak zwykle mocnym głosem, który zdradzał też odrobinę złości:

– Wytrzymajcie i posłuchajcie mnie, bo jeszcze nie skończyłem! Wiem, że możecie już nie chcieć mnie słuchać albo próbować zaprzeczać moim słowom, z pewnością bowiem podejrzewacie, że najgorsze dopiero zostanie wypowiedziane! Jest to... prawda. Ale prawdą jest również to, że zostały nam też dobre, a przynajmniej lepsze, wieści. Możecie być pewni, że w tej sprawie nigdy nie wprowadziłbym was w błąd. A zatem – ciągnął w złowieszczej ciszy – woda w studniach została skażona. Zawsze byliśmy jednakże na tyle sumienni, by w całości napełniać zbiorniki rezerwowe! Wszystkie są pełne i do naszej dyspozycji, z wyjątkiem dwóch, leżących najbliżej źródła i czerpiących wodę bezpośrednio ze studni. Te dwa zostały wykluczone z systemu. Przejdę teraz do sedna. Wspomagany w swoich obliczeniach przez techników zdołałam ustalić, że – jeśli mamy zostać tutaj – czystej wody starczy nam na trzy miesiące. Trzy miesiące i ani dnia dłużej, zanim podzielimy los zwierząt!

W tym momencie z tłumu dobiegł rozgniewany, szorstki głos:

– Big Jon Lamon! Jesteś naszym przywódcą, zgadza się. Ale jak mamy zaakceptować fakt, nawet z ust przywódcy, że *obie* nasze studnie zostały skażone? Że w jakiś przedziwny sposób katastrofa taka jak ta nie została w ogóle zauważo...

– Wysłuchaj mnie! – Big Jon Lamon przerwał pytającemu. – Rozumiem twój gniewny ton, rozumiem też pytanie, które chciałeś zadać, mimo że uważam je za prowokujące czy wręcz ohydne. Ale odpowiem na nie i na tym skończymy. O ile prawdą jest, że nasz klan stoi w obliczu wielkiego niebezpieczeństwa, to mogę zapewnić, że nie ma winnego tego stanu rzeczy, w każdym razie ja takiego nie znajduję. Problem jednak pozostaje.

– Nie ma winnego? – Zadający pytanie wysoki, krzepki, dwudziestoparoletni mężczyzna o rumianej twarzy przepchnął się na początek tłumu. – Zwierzęta zaczęły chorować tydzień temu, a może nawet wcześniej! Co w takim razie z technikami i ich narzędziami? Odwalali fuszerkę, kimali w czasie pracy czy co robili, że nie zauważyli, w jakich jesteśmy opałach? Mówimy o promieniowaniu z powierzchni, ale czy możemy być pewni, że nie chodzi o stos za tymi wielkimi ołowianymi bramami na obrzeżach Refuge, za co znowu odpowiedzialni są technicy? No i niech mnie strzeli, czy nazwałeś naszą sytuację *problemem*? Ot, *problem*? Dobre sobie!

Zagniewany podniósł szeroko swoje ramiona i ukazał zaciśniętą dłoń, żeby udowodnić swoją złość… a może strach. Po chwili, opuszczając ramiona i zniżając ton, podsumował:

– Jak na moje to wszyscy jesteśmy trupami! Ale to tylko malutki problemik, co nie?

– Ned Singer, twoje zachowanie jest nie do przyjęcia! – odrzekł Big Jon Lamon – Twoja postawa zaskakuje mnie i pozostawia wiele do życzenia. Wiem, że jesteś zacnym, odważnym człowiekiem, szefem jednego z naszych jednostek zbieraczy, co jest bardzo ważną funkcją. Właśnie dlatego wymagałbym od ciebie więcej niż od innych. Trupy, powiadasz? Bez zrozumienia całości sytuacji? Czy to możliwe, że próbujesz potępić i śmiertelnie nastraszyć nasz klan, Ned? Nie, na pewno nie! Skończ więc swoje biadolenie i pozwól mi dokończyć. Jak powiedziałem, nie ma winnego. Jakże mógłby on się znaleźć, skoro nikt nie mógł przewidzieć i zapobiec tej sytuacji?

– Ale… – próbował zaprotestować Ned Singer.

– Zamilcz! – ryknął przywódca. – Wypowiesz się, gdy skończę, jeśli w ogóle będziesz miał wtedy cokolwiek do powiedzenia.

Po tej reakcji zdawało się, że Ned Singer skurczył się parokrotnie i usunął się w cień, wciąż jednak mrucząc coś pod nosem. Tymczasem Big Jon Lamon zwrócił się do stojącego w pierwszym rzędzie bladego łysiejącego mężczyzny, który sprawiał wrażenie mocno zdenerwowanego:

– Czas na twoją wypowiedź, Andrew Fielding. Ned Singer wystosowuje zapytanie czy nawet oskarżenie, na które najlepiej odpowie nie kto inny, jak szef techników. Nie chodzi zresztą jedynie o poinformowanie Neda Singera, lecz całego naszego klanu, i właśnie dlatego pozwoliłem odciągnąć cię na chwilę od twoich ważnych zadań. Mów więc i wytłumacz nam wszystkim, jak doszło do obecnej sytuacji.

Podczas gdy Big Jon Lamon wypowiadał te słowa, Ned Singer powrócił na swoje poprzednie miejsce w tłumie, które znajdowało się między Garthem Slatterym a dziewczyną o imieniu Layla. Layla Morgan, szwaczka nosząca zwierzęce skóry i nauczycielka najmłodszych dzieci klanu, była o rok starsza od Gartha Slattery'ego. Jej matka zmarła już dawno w wyniku raka spowodowanego promieniowaniem, ojciec zginął pół roku temu przygnieciony przez lawinę kamieni w czasie odkrywania nowych terenów. Choć Garth Slattery widywał ją bardzo rzadko, zawsze wydawała mu się zniewalająco atrakcyjna...

Andrew Fielding rozpoczął tymczasem swoje przemówienie:

– Mogę jedynie przedstawić, co się zdarzyło, powiedzieć, jak to było i jak jest teraz...

Nim zaczął na dobre mówić, przerwał, w nerwowym odruchu próbując oczyścić gardło, co spowodowało, że jego pierwsze zdanie zabrzmiało jak atak kaszlu. Ned Singer nie pozostawił tego bez komentarza:

– Dalej, dalej, zakrztuś się własnymi słowami, mała gnido! – wysyczał pod nosem tak cicho, że mogli usłyszeć go tylko stojący najbliżej niego. – Obrzydliwie leniwy technik, ze swoimi dychającymi ze starości narzędziami i charczącymi radiami, z pigułkami i proszkami, które już pięćdziesiąt lat temu przestawały działać. Jedyny pożytek z ciebie jest taki, że obsługujesz generatory. Ale poza tym na co nam taki nierób jak ty? Powinieneś pójść kiedyś ze mną i moimi zbieraczami, to zobaczysz, na czym polega prawdziwa robota!

W tym momencie Ned Singer szturchnął w żebra prawie tak wysokiego jak on Gartha Slattery'ego i warknął:

– A co ty o tym myślisz?

Garth Slattery wzruszył ramionami.

– Wydaje mi się, że dbanie o to, by generatory działały prawidłowo, to bardzo ważne zadanie – odpowiedział, niegłupio zresztą. – Nasz obóz jest duży, nie wszędzie dociera światło, a bez niego nie dałoby się pracować. Ponadto Andrew Fielding jest niewysoki i niezbyt silny, więc nie mógłby być zbieraczem. Lepiej więc, że jest w technikach, jako że się zna na radiach, pojazdach, narzędziach... i tych wszystkich rzeczach.

Czując, że końcówka jego wypowiedzi nie była specjalnie błyskotliwa, ponownie wzruszył ramionami i zauważył, że Layla spojrzała na niego krzywo znad ramienia Neda Singera. Zastanawiał się, co było przyczyną tego spojrzenia. Może uznała jego odpowiedź za zbyt uległą albo uważała, że w ogóle nie powinien odpowiadać? Garth Slattery nie potrafił znaleźć dobrego wyjaśnienia, a chwilę zadumy przerwało gniewne spojrzenie posłane mu przez Neda.

– Taa – parsknął i mruknął ni to do siebie, ni to do innych – nauczka na przyszłość: zapytaj o zdanie gówniarza, a w odpowiedzi dostaniesz sraczkę…

– Gówniarza? – najeżył się Garth Slattery, choć bardziej z powodu napiętej atmosfery niż słów Neda Singera. – Mam szesnaście, niedługo siedemnaście lat, czyli dokładnie tyle, ile trzeba, by móc działać w twoich zbieraczach!

– To prawda – przyznał Ned Singer, jednocześnie znowu trącając Gartha Slattery'ego łokciem, tym razem mocniej. – Mógłbyś iść z nami, ale tylko jako mój uczeń, więc uważaj na swoje słowa, *gówniarzu*. Niech mnie, zawsze gdy otwierasz usta, mam wrażenie, że słyszę twojego drętwego ojczulka!

Garth Slattery nabrał powietrza, które powiększyło jego – i tak już imponującą – klatkę piersiową… W tym momencie Layla przesunęła się w przód, spojrzała na Gartha i wydęła usta, komunikując milczące, niemożliwe do zauważenia przez Neda „nie!". Garth Slattery uznał to za celną wskazówkę i rozluźnił się, nie wydając z siebie słowa.

Tymczasem Andrew Fielding przemawiał już od dłuższego czasu, większa część wystąpienia umknęła Garthowi. Wciąż zdenerwowany słowami Neda, zwłaszcza tymi dotyczącymi jego ojca, zdołał jednak skoncentrować się na wystąpieniu:

– …promieniowanie naturalne zawsze zmieniało swoją aktywność, za dnia zwiększała się ona, zapewne za sprawą słońca. Jednakowoż w wypadku każdej jego nadwyżki w wodzie, w wypadku różnym od jakikolwiek innych, aczkolwiek uregulowanym przez dawne zasady postępowania, naszym zadaniem jest dodawanie do zbiorników i źródeł wody związków chemicznych przeciwdziałających promieniowaniu. Niestety, należy zauważyć, że wraz z upływem czasu moc tych substancji uległa zmniejsze-niu… Oczywiście nadal będziemy starać się, licząc na pozytyw-ny efekt tych działań, oczyszczać wodę pitną za pomocą środków, które mamy do dyspozycji. W dodatku woda jest zawsze filtro-wana przed użyciem. Dawno temu – kontynuował – zanim obją-łem swoją funkcję, dokładniej mówiąc: zanim swoją funkcję objął mój pradziad, także technicy, aby nie zużywać zbyt wielu substancji, których i wówczas brakowało, nie oczyszczali ani nawet nie monitorowali wody dla zwierząt. Uważano wtedy, że byłoby to marnotrawstwo, a woda, ze swoim źródłem głęboko w ziemi, była całkowicie czysta. Mhm, tak było kiedyś… Dwa-naście dni temu rolnicy poinformowali nas o zmianach chorobo-wych wśród niektórych zwierząt. Bez zbędnej zwłoki przepro-wadziliśmy badania owych zwierząt i odkryliśmy, że występują u nich pierwsze objawy choroby popromiennej. Natychmiast oddzieliliśmy i wyeliminowaliśmy skażone jednostki oraz wyi-zolowaliśmy pierwszy zbiornik systemu, w ten sposób zapobie-gając dalszemu rozprzestrzenianiu się skażenia. Ponadto zmniej-szyliśmy i tak już ograniczone dostawy wody do jeziora. Big Jon Lamon wspomniał już, że są ledwo jadalne, więc utrzymywanie ich habitatu jedynie ogranicza zaspokajanie naszych potrzeb.

Andrew Fielding przerwał na chwilę, zaczerpnął powietrza, przy okazji charcząc, i ciągnął dalej:

– Sprawa jest oczywiście niezmiernie poważna, jednakże żeby nie wywoływać paniki w pierwszej chwili poinformowa-liśmy jedynie Big Jona Lamona i szefów zagrożonych przed-sięwzięć. Od początku sumiennie obserwowaliśmy drugi zbior-nik i badaliśmy poziom skażenia. Po czterech dniach odkryli-śmy ślad zanieczyszczenia, ale na tyle niewielki, że normalne poziomy promieniowania zostały jedynie nieznacznie prze-kroczone. Niemniej wyizolowaliśmy i ten zbiornik, co okaza-ło się dobrą decyzją, gdyż po kolejnych czterech dniach po-ziom skażenia w nim był już śmiertelny. O wszystkich tych zdarzeniach informowaliśmy Big Jona Lamona na bieżąco. Doszedłem niniejszym do stanu obecnego. Nadal pozostajemy oczywiście uważni, ale… z mojej strony to w tym momencie wszystko.

– To wszystko? – burknął z tłumu Ned Singer. – A w tym ani słowa o rozwiązaniu tego, jak to mówicie, problemu!

Kilku ludzi stojących w pobliżu spojrzało na niego i pokiwało z uznaniem głową, paru mężczyzn zaczęło mruczeć coś pod nosem bądź wręcz ciskać przekleństwami.

Stojąc na swoim podwyższeniu, Big Jon Lamon zdawał sobie sprawę z tych niepokojów wśród w większości jednak oszołomionego tłumu i zainterweniował, zanim wybuchła panika na pełną skalę:

– Wstrzymajcie się! – zawołał. – Posłuchajcie mnie! Nie tylko zespół Andrew Fieldinga pracował nad tą sytuacją. Odkąd się o niej dowiedziałem, przeprowadziłem wiele rozmów na temat rozwoju akcji ze starszyzną i opracowałem plany na wypadek różnych ewentualności. O tym powiem za chwilę, ale najpierw… Pragnę przypomnieć wam o tym, co zdarzyło się jedenaście miesięcy temu, kiedy to otrzymaliśmy wiadomość od ludzi, którzy schronili się daleko na północy. Wydarzenie owo wywołało wielki entuzjazm wśród naszego klanu, gdyż był to pierwszy od dłuższego czasu kontakt z innym człowiekiem. Odbiór był nie najlepszy – kontynuował – nie mogliśmy być pewni dokładnej treści wiadomości, która zdawała się być prośbą czy wręcz błaganiem skierowanym do ludzi. Chodziło o wsparcie społeczności zdziesiątkowanej przez ataki latrów. Mimo że wiadomość była słaba i niekompletna, udało nam się dowiedzieć, że ta odległa społeczność została zaatakowała i poniosła ogromne straty, zanim udało im się zniszczyć siedlisko latrów. Oferują teraz bezpieczne schronienie każdemu, komu uda się ich odnaleźć. Co więcej, Andrew Fielding twierdzi, że znamy ich położenie dzięki zapiskom, które nasi przodkowie poczynili na zachowanych, przedwojennych mapach!

Big Jon Lamon przerwał, żeby pozwolić wszystkim na przetworzenie nowych informacji, i rozluźnił się, widząc, że rozmaite grupki zaczęły z entuzjazmem ze sobą rozmawiać. Dopiero teraz bowiem zgromadzeni dostrzegli sens niektórych jego poprzednich wypowiedzi. Przez ćwierć minuty Big Jon Lamon pozostawał w milczeniu, pozwalając, by uniesienie, przechodząc od jednego do drugiego członka klanu, osiągnęło swój szczyt…

2

Rozmyślania Gartha Slattery'ego, wspomnienia dotyczące stosunkowo niedawnych wydarzeń z jego życia, teraz wydające się odległymi o tysiące lat, zostały nagle przerwane przez kołysanie się wozu, który najechał na nierówną kupkę gruzu. Ojciec Gartha, Zach, złapał syna za ramię, by go przytrzymać.

– Spałeś, prawda? – zapytał.

Wóz uspokoił się, a Garth zaprzeczył.

– Zamyśliłem się – odpowiedział. – Rozmyślałem o przeszłości, o czasach w Southern Refuge. W porównaniu z tą podróżą nie wydaje mi się ono już takim złym miejscem!

Jego ojciec przytaknął skinieniem głowy.

– Pomyśl lepiej, co czeka nas na jej końcu. Nie ma sensu rozpamiętywać przeszłości. Zwłaszcza tej ciemnej, która tylko w tych warunkach nabiera światła.

– Masz rację – zgodził się Garth – Ale znam cię bardzo dobrze, ojcze, i wiem, że często wspominasz o tym przyszłym raju tylko po to, by podnieść mnie na duchu. Nie ma takiej potrzeby! Jestem co prawda młody, ale wiem, że jak to wielokrotnie mówiłeś, nadzieja umiera ostatnia. W każdym razie ja jestem jej pełen! Wiedz, że nie rozpaczam ani nie obawiam się tego, co czeka na nas w przyszłości. Podejrzewam jednak, że ty możesz to czynić, choćby z mojego powodu…

Przerwał na chwilę, wzruszył rozpaczliwie ramionami i dokończył:

– Próbuję chyba powiedzieć, że jestem dobrej myśli i mam plany na przyszłość.

W tym momencie niemalże nieświadomie spojrzał w stronę odległych siedzeń, dokąd z powodu nieustannego kołatania wozu nie dochodził jego głos. Obok Neda Singera siedziała tam Layla Morgan.

Nie uszło to uwadze ojca Gartha, który zrozumiał spojrzenie syna i część jego „planów na przyszłość".

– Może lepiej siedziałoby ci się po tamtej stronie, co? – zagaił.

Nie było sensu udawać. Garth zdradził się wiele razy przy wielu okazjach. A tak jak on znał swojego ojca, tak jego ojciec znał jego, pewnie nawet lepiej. Wzdychając, odpowiedział:

– Layla chyba nie może się zdecydować, kogo bardziej lubi: mnie czy Neda Singera. Może to on, starszy i bardziej doświadczony, ważny dowódca zbieraczy, bardziej przypadł jej do gustu.

– Może być i tak – powiedział Zach – ale zauważyłem, że to on dosiadł się do niej, nie na odwrót. Nigdy nie dowiesz się, kogo woli, dopóki jej nie zapytasz. Pamiętaj, że dobieramy się w pary za młodu, bo dzieci są naszą przyszłością, jeśli mamy mieć jakąś. Co do Neda Singera, powinieneś na niego uważać. Zbyt szybko się podnieca i ma złe usposobienie. Nie lubi przegrywać, niezależnie od tego, w jakiej grze uczestniczy. Miał kiedyś żonę, która zmarła w wyniku choroby. Była wrażliwą istotą, a ja nie znałem jej zbyt dobrze. Nie mieli dzieci i... nie wiem, czy powinienem o tym wspominać, ale zdawała się zbyt szybko łapać siniaki...

Powiedziawszy to, Zach rozejrzał się po wozie, a jego myśli i nastrój znów stały się mroczne. Garth miał rację. To tylko dla niego ojciec starał się od czasu do czasu rozchmurzyć. W środku jednak czuł się pusty. Zły, sfrustrowany, smutny i przybity. Wszystko to, od kiedy jego żona, matka Gartha, umarła w czasie porodu. I choć nie obwiniał o nic syna, to nigdy nie przestał opłakiwać ukochanej.

Teraz, tak jak przed chwilą Garth, pogrążył się w myślach o przeszłości, ale o wiele odleglejszej...

Pewnej nocy, niedługo po śmierci Angeli, Zach zebrał swoją drużynę i wyruszył w głuszę. Nie po to jednak, by rozpoznać teren, lecz żeby polować na latry. W jego pełnym goryczy umyśle to one były bowiem odpowiedzialne za złe wyposażenie szpitala, jak zresztą wszystkich innych instytucji na terenie obozu. I zaiste, tej nocy urządzili niezłą rzeź! Zach był jak przeklęty, oszalały wojownik jednym ciosem strącający diabły ku otchłani, aż do momentu, w którym stracił panowanie nad swoją maszyną.

Jego potężny motor rozbił się, a Zach boleśnie złamał prawą nogę, która nigdy nie odzyskała dawnej sprawności. To zdarzenie zakończyło jego karierę w zbieraczach, ale nie położyło kresu jego gniewowi i rozpaczy…

Zach powrócił do teraźniejszości. Kilku mężczyzn czyściło i naoliwiało swoją broń. Były to pradawne pistolety i strzelby wydobyte z muzeum w zniszczonym mieście obok Southern Refuge. Najstarsze z nich pochodziły z XXI wieku! Oprócz tego posiadali rozmaitą broń osobistą, a także parę sztuk cięższego sprzętu, takiego jak wyrzutnik granatów czy groźnie wyglądający karabin maszynowy.

Spoglądając na mężczyzn i kiwając głową, Zach zwrócił się do Gartha:

– Spójrz na nich. To zahartowani w boju wojownicy, choć lepiej byłoby określić ich jako „ocalałych". Musimy walczyć, kiedy nadchodzi taka potrzeba! Musimy walczyć, używając wszystkich dostępnych środków! Tylko tak możemy przetrwać. Nasz ohydny wróg nie bierze jeńców, a kiedy jednak zdarzy mu się to zrobić… i tak nie żyją zbyt długo. Wiecznie głodny, walczy lekkomyślnie, wręcz szaleńczo. Naraża się na każde niebezpieczeństwo tylko po to, żeby się nażreć! Nie myśli nigdy – jeśli można w ogóle powiedzieć, że „myśli" – o swoim przeżyciu. A już na pewno nie zważa na nasze!

Jako były rekrut zbieraczy Garth miał wiele szczęścia. Doświadczył tylko paru niezbyt poważnych ataków ze strony latrów. Dla porównania, jadąc teraz z konwojem, oddał już swój pierwszy śmiertelny strzał. Czuł się z tego powodu dziwnie, może nawet źle. Unicestwił bowiem istotę, która kiedyś była człowiekiem bądź powinna nim być. Strzelił jej w oko, a gąbczasta głowa potwora eksplodowała niczym zgniła purchawka.

Eskorta nie potrzebowała zbieraczy w ich dawnym kształcie. Nie będąc już stabilną, osiadłą społecznością, dwustu paru członków klanu mogło zabrać ze sobą tylko absolutnie najpotrzebniejsze rzeczy. Nie było miejsca dla materiałów zdobytych po drodze, nie było zatem miejsca dla zbieraczy. Dlatego Garth Slattery nie był już zbieraczem, lecz strażnikiem: jeżdżąc na odbudowanym motorze swojego ojca, ubezpieczał konwój. Nadal pozostawał jednak swego rodzaju uczniem, będąc młodszym członkiem sześcioosobowej drużyny dowodzonej przez Neda Singera. Zgodnie z rozkazami Big Jona Lamona swoje obowiązki dzieliła ona z dwoma podobnymi oddziałami.

Dwa tygodnie temu jeden z podwładnych Singera został zabity przez latra. Jeździł on, przez zupełny przypadek, na dawnej maszynie Zacha. Drużynie Singera udało się odzyskać motor, lecz niestety bez jeźdźca. Zażądał on, aby zmarłego zastąpił Garth. Wywołało to u Zacha pewien niepokój. Dlatego uznał za stosowne ostrzec syna przed Singerem, jako przed człowiekiem, który niezbyt dobrze toleruje rywali. Nie było bowiem nieuzasadnionym przypuszczenie, że w sprawie Layli Morgan Ned właśnie tak traktuje Gartha. A w niebezpiecznej ciemności, dzikich terenach, po których sunął konwój… lepiej być uważnym. Któż może wiedzieć, co w takich warunkach czeka na młodego strażnika w czasie ataku latrów? Co może stać się w wyniku zwykłej pomyłki?

Garth przypomniał sobie żonę Singera. Niezbyt często ją widywał, ale tak samo jak jego ojciec zapamiętał, że nigdy nie zdawała się w najlepszej formie. Niska, smutna, czarnooka dziewczyna, w chwili śmierci niewiele starsza od Layli…

Śmierć zbyt często zaglądała do Southern Refuge. Wyglądało na to, że ludzie nie są przystosowani do życia w norach w ziemi ani własnoręcznie stworzonych jaskiniach.

Śmierć czekała zarówno ludzi, jak i potwory.

Garth zadrżał, przypominając sobie śmierć, którą sam zadał. Ojciec poczuł jego dygot i zapytał:

– Zimno ci? To dziwne. Mamy lato, a noc jest całkiem łagodna. Nie żebyśmy kiedykolwiek specjalnie przejmowali się porami roku oczywiście.

– To nie chłód – potrząsnął głową Garth. – Rozmyślam o swoim pierwszym zabitym latrze.

– Och, znowu zebrało ci się na wspominki? Tym razem świeższe. Powiem ci tyle: im więcej ich zabijesz, a zrobisz to na pewno, tym mniej ciążyć będzie ci to na sumieniu. Do tej pory byliśmy szczęśliwi, nie trafiliśmy na żadną większą grupę tych gnoi. Tylko małe gromadki i głupie jak zawsze. Tak bardzo chciałbym pójść z tobą, ale ta noga…

– Z tego co mówił Big Jon Lamon – odpowiedział Garth – gdy służyliście razem w zbieraczach, zrobiłeś znacznie więcej, niż było konieczne. Poza tym praca przy sortowaniu łupów też nie była prosta. Wiele razy widziałem, jak z grymasem wielkiego bólu na twarzy doczłapujesz się do domu po kolejnej zmianie. Masakrowanie latrów tej nocy wiele cię kosztowało, ojcze.

– Latry! – Zach poruszył się w miejscu, odwracając głowę, by z obrzydzeniem splunąć za bok obijającej się o nierówne podłoże sześciokołowej przyczepy o ołowianym dachu zwanej przez wszystkich *wozem*. Wytarł usta i ciągnął dalej: – Tak, masz rację, wiele mnie to kosztowało. Ale niech mnie, zrobiłbym to jeszcze raz i to z radością! Tylko teraz… Ach, co za różnica – ciągnął dalej. – Ziemia jest już w ich posiadaniu albo będzie, gdy nas już zabraknie…

Zach od razu pożałował swoich słów i spojrzał na syna. Zagryzając wargę i wiercąc się na swoim miejscu, jak gdyby siedział na rozżarzonych węglach, szybko dokonał sprostowania:

– Tak to wygląda, jeśli przyjmiemy pesymistyczną perspektywę oczywiście.

Siląc się na uśmiech, Garth spróbował zażartować, żeby rozchmurzyć nieco ojca:

– O, to jest jakaś optymistyczna perspektywa?

To jednak nie był najlepszy żart. Ponownie kiwając głową sam do siebie, w sposób, który stał się już nawykiem, Zach spojrzał w mrok. Nie ujrzał tam nic poza pustynią, wypełnioną niekiedy śladami ruin, i pagórkami, które tuż przy horyzoncie zdawały się odbijać upiorną poświatę. Ponownie spojrzał na syna i zamyślił się, choć Garth był pewien, że jego przemyślenia nie były teraz zbyt głębokie. W końcu przemówił tonem zdradzającym cierpkie rozbawienie:

– Ha! Nie można cię oszukać, co nie, synku?

Synku. Garth uśmiechnął się, tym razem szczerze. *Synku…* a był szesnastolatkiem, prawie siedemnastolatkiem, zabójcą latra. Dla swojego staruszka pozostawał nadal młodziutkim chłopcem, jego jedynym synkiem.

– Tak, trudno powiedzieć, że jest jakaś optymistyczna perspektywa, a przynajmniej ja jej nie widzę – kontynuował Zach.

– Ale posłuchaj: to, że ja czasami jestem trochę przybity, nie oznacza, że i ty…

– W porządku – przerwał mu Garth. – Wiem to wszystko, wiem. Sprawy naprawdę nie wydają się zmierzać ku lepszemu, prawda?

Zach przytaknął skinieniem głowy i jeszcze raz odwrócił wzrok, próbując przeniknąć nim ciemność.

– Coś w tym rodzaju – odpowiedział. – Mam wrażenie, że życie nie ma już dla mnie żadnego sensu. Czasami czuję… nie wiem… to trochę jak w tym powiedzeniu, o którym wspomniałeś: nadzieja umiera ostatnia – z tym że ja wiem, że we mnie ona już umarła. Myślę, że jestem już tym wszystkim zmęczony. Może po prostu chciałbym robić więcej – chciałbym *móc* robić więcej – tak jak kiedyś.

Po tych słowach Garth doskonale wiedział, w jakie rejony zacznie kierować się ich rozmowa.

Siedzieli w odległym kącie wozu, zardzewiałego, startego autobusu, od dawna już pozbawionego bezwartościowego silnika, którego koła i podwozie były nadal w przyzwoitym stanie. Wóz toczył się teraz powoli za traktorem, ściany miał usunięte, pozostały tylko naroża i dach pokryty ołowianymi łatami. Pochodził z odzysku z łupu zbieraczy, i ponownie zaopatrzony w siedzenia ustawione przodem do środka mógł pomieścić dwadzieścia osiem osób: mężczyzn, kobiet i dzieci. Około dziesięciu podobnych pojazdów nadawało się do holowania, a tyle samo było w stanie poruszać się samodzielnie. Wszystkie nieustannie patrolowały okolicę, strzegąc przejeżdżającej kolumny pod czujnym okiem eskortujących ich ludzi na rowerach górskich.

Byli zatem z grubsza oddzieleni od reszty współpasażerów. Wiedzieli, że dzięki temu, o ile nie będą mówić zbyt głośno, ich rozmowa nie zostanie podsłuchana. W przeciwnym wypadku gorzkie, przygnębiające uwagi Zacha mogłyby urazić mężczyzn i przestraszyć kobiety. Big Jon Lamon bardzo nie lubił tego rodzaju rzeczy, choć było raczej mało prawdopodobne, żeby ów stary druh Zacha mógł mu to wziąć za złe.

Jak by nie było, Garth był przekonany, że jego ojciec ma pełne prawo, by powiedzieć, co tak naprawdę myśli, i wyrzucić z siebie wszystkie męczące go sprawy. Miał jednak nadzieję, że ojciec będzie umiał się opanować, gdy jego wewnętrzne demony ujrzą światło dzienne. Po krótkiej chwili męczącej ciszy Zach zaczął:

– Przypomina mi się mój ojciec, czyli twój dziadek, który opowiadał mi o rzeczach usłyszanych od swojego ojca. Wśród nich wiele było ludowych powiedzonek. Dla ojca była to *szczera prawda*. Czasami było w nich sporo racji, jednak równie dużo pojawiało się bzdur. To właśnie po nim powtarzam, że *nadzieja umiera ostatnia*, tak jak ty powtarzasz to po mnie. Ach, on i te jego życiowe dewizy, które rzadko były prawdziwe i nigdy nie sprawdzały się w praktyce! W zasadzie to większość z nich nie miała sensu. To były myśli z jakichś starych, spleśniałych książek. Czekaj, jak brzmiała jego ulubiona? *Cisi posiądą ziemię!* Czyżby? Naprawdę? Pfu! Przez całe moje trzydzieści trzy lata życia, którego mam już serdecznie dość, nigdy nie widziałem, nie dotknąłem, nie poczułem ani nawet nie słyszałem o ani jednym *łagodnym* latrze! Co, te łajzy, te bezwzględne potwory, przed których okrucieństwem nieustannie uciekamy, miałyby być łagodne? Za nic! Nigdy! Żaden z nich! Pokaż mi skorpiona bez żądła albo kundla bez pcheł, a ja pokażę ci łagodnego latra! Ale bez jakiegoś cudu albo interwencji Boga, w którego już dawno nie wierzę, to oni zaiste posiądą Ziemię. A wtedy, gdy nie będzie już żadnego człowieka… mam na myśli *jeśli* tak się stanie, bo na pewno wiesz, że przemawia teraz mój zły humor… no, to co wtedy będą żreć?

Garth nieraz już to wszystko słyszał, słuchał jednak uważnie. Jego ojciec wiele wiedział. Słyszał o rzeczach, które wydarzyły się za dawnych czasów, podobno dobrych, czasów sprzed wojny. To nie był jedyny powód, dla którego nie przerywał ojcu. Zach był jednym z najstarszych mężczyzn w klanie. Swoimi trzydziestoma trzema latami przewyższał średnią życia o jakieś cztery, pięć lat!

W każdych innych warunkach słuchałby spokojnie opowieści ojca. Jednak w tej chwili coś mignęło, Garth zarejestrował charakterystyczny czerwony blask gdzieś na obrzeżach jego pola widzenia. Był to szkarłatny promień przecinający ciemność, migocący raz w jedną stronę, raz w drugą wzdłuż całego konwoju. Jego źródłem była latarka strażnika znajdującego z przodu na lewej flance. Czerwony to kolor, który symbolizował jedno: niebezpieczeństwo.

Garth odwrócił głowę w kierunku promienia. Zaświecił on jeszcze raz, ogarniając sobą zastępy wozów i innych pojazdów. Wkrótce wszyscy dostrzegli sygnał, a karawana zatrzymała się. Zach przestał mruczeć i już dawno temu wyjął swoją strzelbę z pokrowca. Jego odruchy były znacznie szybsze niż syna, co być może wyjaśniło sekret jego długowieczności. Garth naładował swoją broń. Na razie siedzieli, nerwowo czekając na rozkazy z przodu, gdzie na wieżyczce stał Big Jon i obserwował teren za pomocą starej lornetki przystosowanej do pracy w ciemności.

Ta chwila oczekiwania zdawała się wiecznością. Ich serca przyspieszyły, mięśnie napięły się, dłonie zaczęły się pocić. Jeden gwizd nadany przez Big Jona oznaczałby, że wszystko jest w porządku i cała ta sytuacja to jedynie fałszywy alarm. Ale jeśli rozległyby się trzy dźwięki, wiadomość byłaby jasna: nadchodzą *one*!

One! Niczym skłębiona szarańcza wylatująca z ciemności, szeleszczące zjawy ze świecącymi oczami i przetartymi, trzepoczącymi całunami: latry! Wtedy każdy mężczyzna i każda kobieta oraz większość dzieci niezwłocznie przeszliby na pozycje obronne.

Mężczyźni naładowali swoją broń, czemu towarzyszył charakterystyczny dźwięk stalowego mechanizmu. Po drugiej stronie wozu Ned Singer trzymał dłonie ponad sznurkami przymocowującymi jego motor do zewnętrznej części pojazdu, gotów w każdej chwili je rozwiązać. Spojrzał na Gartha i zobaczył, że zajmuje on taką samą pozycję, podobnie jak czterech innych mężczyzn – dwóch po jego stronie i dwóch po stronie Slattery'ego. Kobiety natomiast w większości osłaniały ciałem swoje potomstwo, część z nich trzymała również broń.

Wszyscy byli gotowi…

Garth spojrzał na Laylę, która odwzajemniła spojrzenie. Miała dziwną minę, podobnie zresztą jak on sam, która mogła wyrażać tysiąc słów. Albo dwa słowa, na co miał nadzieję Garth.

W podobnych chwilach przyszłość, o której marzył, wydawała się jednak poza zasięgiem, a właściwie zupełnie niemożliwa...

Nagle na przedzie konwoju rozległ się okrzyk. Big Jon Lamon pytał o coś niewidocznego strażnika, oddalonego o mniej więcej sto metrów od lewej flanki.

Po chwili kolejny promień przeciął noc. Tym razem był zielony! A więc to jednak był fałszywy alarm! Po nim nastąpił pojedynczy dźwięk wydany przez wodza, dzięki któremu wszyscy mogli odetchnąć z ulgą...

3

Nowy świt przyniósł więcej zgrozy, więcej strachu. Tym razem jednak nie z powodu latrów, lecz nastania kolejnego dnia, któremu zawsze towarzyszyły śmiertelne promienie słońca. Zwieszane panele ołowianych osłon zsunięto z dachów pojazdów. Skierowano je na prawo, w stronę wschodzącego słońca, którego szaleńcze promienie miały wkrótce pokryć wszystko, co znajdowało się na ziemi bez należytej ochrony. W pewnej odległości od karawany wznosiły się ruiny opuszczonego miasta. Prowadziła do niego pojawiająca się znikąd pełna wybojów i porośnięta chwastami droga.

– W dawnych czasach – zagaił syna Zach, spoglądając w przód – to miejsce miałoby swoją nazwę. Ale zachowało się tylko parę map sprzed wojny, a z tego co wiem, te budowle nie zostały zaznaczone na żadnej z nich. Prawdopodobnie było to nowe miasto, powstałe zaraz przed bombardowaniem. Mimo to Big Jon Lamon odnalazł chyba jakieś wskazówki, bo wygląda na to, że specjalnie nas tu zaprowadził. I to w doskonałym momencie: za godzinę każde schronienie będzie na wagę złota.

Garth spojrzał na matowy połysk ołowianych osłon i powiedział:

– Ołów blokuje światło. Ale ja lubię światło. To… to jest coś innego! Jeszcze do niego nie przywykłem po sztucznym oświetleniu w Southern Refuge, ale zdecydowanie je lubię.

– Jak my wszyscy – opowiedział Zach. – Tak samo jak ciepło, lecz, hm, są różne rodzaje ciepła. Gdzieś tam w atmosferze – która podobno była grubsza przed wojną – istniało kiedyś coś, co nazywano warstwą ozonową. Już jej nie ma. Słuchaj, uczyłeś się o tym w szkole i pewnie wiesz to równie dobrze jak ja, co tu dużo mówić, oprócz ciepła o wiele łatwiej przedostaje się teraz też promieniowanie. A jeśli dodamy do tego utrzymujące się promieniowanie nuklearne, które powstało przez bomby, to rezultat jest zabójczy. Owszem, ołów blokuje światło, ale jednocześnie blokuje też promieniowanie. No, tylko jakąś jego część, ale mamy szczęście, że chociaż tyle!

– A w czasie wojny? – zapytał Garth. – To przez promieniowanie powstały latry, prawda?

– To było po wojnie – poprawił go ojciec. – Ale są różne teorie na ten temat. Ja jestem zwolennikiem tej, która mówi, że latry istniały od zawsze, ewoluowały obok nas. Widzisz, każde stworzenie ma swojego pasożyta. Psy, nawet nasze obronne psy, mają pchły. Ptaki, których i tak jest już niewiele, dobijane są przez roztocza. A gdybyś uważnie rozejrzał się wokół drzew, to zobaczyłbyś, ile pszczół siedzi w kwiatach! Te stworzenia od zarania dziejów uczyły się, jak się chować, co zrobić, żeby przetrwać, ewoluowały. To tylko instynkt, ale dzięki niemu trudno je wypatrzeć i pozbyć się ich. Tak samo jest z latrami. Teoria, o której mówię, zakłada, że i one nauczyły się unikać światła, trzymać się z dala od ludzi. Na początku mogło być ich niewiele, nie rozmnażały się, aby móc skutecznie się ukrywać. W czasach, o których mówię – setki czy tysiące lat temu – latry prawdopodobnie zabijały i w całości pożerały swoje ofiary, aby nie dopuścić do powiększania się ich gatunku. Były więc one od zawsze, żywiły się krwią i mięsem, pasożytując na ludziach i innych stworzeniach. Jednakże – ciągnął dalej – pomimo swojego zbrodniczego geniuszu zdarzało im się popełniać błędy. Zostawiały przez przypadek wskazówki powodujące, że ludzie zaczęli podejrzewać ich istnienie. Ba, może ktoś nawet przyłapał je na gorącym uczynku! W ten sposób powoli stawały się one częścią naszych mitów i legend…

– Pamiętam, że będąc jeszcze dzieckiem – powiedział Garth – widziałem raz ruszające się obrazy, nazywało się to chyba „filmem", na których widać było inny rodzaj latrów. Różniły się od tych, które my znamy, a ludzie jakoś inaczej je nazywali.

– Wampiry! – przytaknął Zach. – Twoja pamięć jest naprawdę dobra, bo miałeś wtedy trzy albo cztery latka! To był nasz film treningowy w czasach, kiedy jeszcze ekrany i płyty nie wyzionęły ducha. Była to fikcja, w dawnym świecie takie rzeczy oglądało się dla rozrywki. Mimo to każdy członek klanu – nawet dzieci i ci, od których nigdy nie wymagałoby się, by zapuszczali się w dzicz – musiał obejrzeć ten film. Chodziło o to, by wzbudzić strach przed tym, co czeka na zewnątrz, choć oczywiście wiele elementów tego obrazu było fałszywych bądź przeinaczonych. I ty to wszystko pamiętasz?

– Pamiętam, że byłem przerażony! – odpowiedział Garth. – Byłem w końcu tylko dzieckiem. Tyle krwi, krzyków… oczywiście, że się bałem.

– Zgadza się – rzekł Zach. – To miało cię przerazić. Taki był cel. Ale to, co widziałaś na ekranie, to morze krwi… nie tak jest naprawdę.

Zgodnie ze swoim nawykiem potrząsnął głową. Garth spojrzał na ojca i powiedział:

– Wiem. Takie właśnie pytanie zadałem sobie po zabiciu tej rzeczy: gdzie jest krew? Widziałem gąbczastą miazgę i różową pianę, ale…

– Ale żadnej krwi albo niewielkie jej ilości? I to suche jak kurz? Tak to właśnie jest. – Zach ponownie przytaknął. – Latry są mutantami, Garth. Masz rację, promieniowanie powstałe w następstwie wojny rzeczywiście je zmieniło. Nie mogły mieć stałych, większych kryjówek, bo ludzie szybko by je odkryli i zniszczyli. Pod gołym niebem zmieniały się jeszcze szybciej, na co wpływ miała pewnie też ich natura odmieńców. Te, które nie zginęły w słońcu, stały się potworami znanymi nam teraz. Masz wielkie szczęście, że w czasie tych paru nocy spędzonych przy boku Neda Singera nie natrafiłeś na żadnego z nich!

Garth nadal był zachmurzony.

– Hm, to znaczy, że promieniowanie albo je zabiło, albo zamieniło w to, czym są teraz – zaczął. – Ale według mnie zachowują się jak szalone! Co stało się więc z ich inteli…

– Wyparowała i opuściła je – uprzedził go Zach. – Poza zmianą całej ich fizyczności to dziwne ciepło zjadło też ich mózgi… albo przynajmniej tak nam się wydaje. Były dwa przypadki, po których można by uznać, że coś w nich jednak zostało.

– To znaczy?

– Chodzi o ludzi, którzy zostali złapani, pogryzieni i przemienieni w latry, ale nie umarli. Kiedy byłem w oddziale zbieraczy wraz z Big Jonem Lamonem, widzieliśmy taki przypadek.

Straciliśmy jednego z naszych, nazywał się Jack Foster, no i on... on...

– Mów dalej – powiedział Garth. – Jack Foster, który co?

– Który powrócił! Wrócił jako latr. Wrócił wraz z chmarą innych latrów, które próbowały dostać się do naszej kryjówki. Rozumiesz? To dlatego, że Jack wiedział, gdzie ona jest! Pamiętał!

Garth skinął głową.

– Może niektóre z nich wiedziały, że jest ważny. Że może zaprowadzić je do... kolejnego posiłku. Dlatego nie zabiły go, by mógł stać się jednym z nich. Albo coś w ten deseń.

– O tym samym pomyśleliśmy – odpowiedział Zach. – Zanim on i jego umysł całkowicie uległ zmianie, musiał pamiętać o nas i kryjówce! A w takim wypadku powinien pamiętać, że wejście do niej było istną fortecą! Wiedział czy nie wiedział, nie miało to znaczenia, przyszedł i tak. Kiedy runęły na nas z ciemności swoją masą, strażnicy rozgromili pół tuzina za jednym atakiem! To była... och, wspaniała rzeź! Boże, chciałbym, żeby było ich więcej, tyle że bez zabierania kogokolwiek.

Garth dumał przez chwilę, analizując wszystko to, co powiedział mu ojciec, i odrzekł:

– Mówisz więc, że w latrach jest być może jakaś cząstka inteligencji. Ale już o tym wiedzieliśmy, prawda? Mimo że nie muszą ukrywać się przed ludźmi, bo to one są teraz panami powierzchni, to jednak mają na tyle rozsądku, by chować się przed słońcem. Jakkolwiek bezmyślne i niepoczytalne by się wydawały, to chyba nie są do końca bezmózgie!

– Instynkt – odpowiedział Zach. – To nie żadna inteligencja, tylko zwierzęcy instynkt.

– Instynkt i wola przetrwania! – dopowiedział Garth, uznając odpowiedź ojca za słuszną.

– Tak przynajmniej głosi teoria, owszem – powiedział Zach. – Ale nie powinno się tak szybko brać jej za pewnik, skoro nie ma już ludzi na powierzchni. To znaczy może masz rację, ale... cóż, w dawnych czasach i zaraz po wojnie nie dla każdego starczało miejsca w przytułkach. Ludzie potrafili wtedy przystosować się do różnych warunków. Na pewno tego nie pamiętasz, ale gdy byłeś mały, zdarzało się, że przychodził do nas ktoś z zewnątrz. Czasami jedna osoba, czasami rodzina, czasami większa grupka. Przychodzili do nas, szukając schronienia, i udzielaliśmy go im, jeśli akurat straciliśmy jakiegoś członka klanu albo z innych powodów mieliśmy wolne miejsce. Ale ostatni przybysz pojawił się… hmm, to musiało być jakieś trzynaście lub czternaście lat temu, a od tej pory cisza. Co prawda nadal mogą być gdzieś jacyś ludzie, ale nie mam pojęcia, jak dają sobie radę.

– Wola przetrwania – powiedział znowu Garth. – Nawet jeśli świat niezbyt jej sprzyja…

* * *

W tym czasie konwój dotarł już do obrzeży miasta i pokonywał kolejne metry wypełnionej gruzami drogi. Po bokach towarzyszyły im ruiny budowli, niektóre spalone, niektóre doszczętnie zniszczone.

Wódz, Big Jon Lamon, ubrany był w kombinezon przeznaczony do użycia w czasie wojny jądrowej, biologicznej i chemicznej. Wyglądał w nim dość groteskowo. Stał jednak mężnie na wieżyczce swojej gryzarki, czy też raczej glebogryzarki, jak głosił napis wymalowany na zardzewiałym boku żelaznego wehikułu, którego pierwotnego przeznaczenia już nikt nie pamiętał, a który istnym cudem działał, mimo że był w zasadzie muzealnym eksponatem. Big Jon zarządził niedawno postój, a teraz wydawał polecenia kierowcom poszczególnych pojazdów.

– Widzisz ten budynek na wprost? – krzyknął do kierowcy siedzącego w opancerzonej kabinie maszyny, którą ciągnęła wóz Zacha i Gartha. – Zaparkuj w jego cieniu, aż nie ustalimy rozłożenia. Uwaga: nikt nie wchodzi do środka, jeszcze nie teraz!

Zobaczywszy po chwili znajomą twarz, powiedział:

– Czołem, Zach! Jak się miewasz?

– Obity i posiniaczony, z bólem brzucha, pleców i boków – krzyknął z cierpkim uśmiechem starszy Slattery. – Poza tym to pewnie wszystko w porządku. Szkoda mi jedynie kobiet i dzieci.

Big Jon Lamon zaśmiał się, kiwnął głową i powiedział, przekrzykując ryk pojazdów:

– Cóż, jeśli się nam poszczęści, to już wieczorem będą mogły odpocząć tyle, ile będą chciały. Niech Bóg je błogosławi!

Po tych słowach Jon i jego gryzarka zniknęli w kłębiących się chmurach kurzu.

– Ta, ale zanim ktokolwiek odpocznie, niektórzy z nas będą mieli trochę do zrobienia – mruknął, krzyżując spojrzenie z synem. – Trochę bardzo niebezpiecznej roboty.

Wyglądał tak, jakby chciał jeszcze coś dopowiedzieć, lecz zamiast tego przerzucił wzrok ponad Gartha i skinął głową, zauważając obecność kroczącego ku nim Neda Singera.

– Latry? – zapytał Garth. Słowa ojca były dla niego doskonale zrozumiałe, więc było to coś więcej niż zwykłe pytanie.

– Mam nadzieję, że nie – odparł Zach. – Ale nie jest to nieprawdopodobne. Niektóre z tych budynków wciąż mają dachy, mogą być zamieszkanie. Jeśli o tym mowa: właśnie nachodzi twój szef, bez wątpienia po to, by wydać ci rozkazy.

Ned Singer odpowiedział nieznacznym ruchem głowy na skinienie Zacha, po czym chwycił za zwisający obok pasek, by utrzymać równowagę, i zwrócił się do Gartha:

– Młodziaku Slattery! – warknął. – Pewnie wiesz, co dzisiaj na nas czeka i czego od ciebie oczekuję. Ale czy jesteś na to gotowy?

Garth zaakceptował fakt, że wciąż był nowicjuszem, gdy chodziło o latry, i odpowiedział:

– Będę gotowy, gdy zostanę wezwany, panie Singer. Ale pozwolę sobie zapytać: jaka jest ocena sytuacji? Czy grozi nam niebezpieczeństwo?

– Niebezpieczeństwo, tobie? Nie, jeśli będziesz patrzył i się uczył – burknął Singer. – Nie, jeśli będziesz trzymał się blisko i szybko robił to, co ci każę. Dlaczego w ogóle kłopoczę się tobą, he? Jesteś najmłodszym, najsłabszym, najmniej doświadczonym członkiem mojej grupy. Jeśli wcześniej chodziłbyś z moją ekipą, jeśli miałbyś więcej za sobą, to nie przejmowałbym się. Znałbym cię lepiej, wiedziałbym, jak myślisz i reagujesz w czasie kryzysu. Ale jesteś Slattery i…

– I co, Ned? – wtrącił niepokojąco cichym głosem Zach.

Singer popatrzył gniewnie, ale lekko się wycofał:

– Wiesz, co mówią – odpowiedział. – Jaki ojciec taki syn, nie? Znaczy się mam czterech ludzi w oddziale, nie mogę pozwolić na żadną manianę. Pierwszy latr ubity przez twojego syna – super, cieszę się, kolejny śmieć poszedł do piekła. Ale byłem przy tym i widziałem, jak to się stało. Twój synek był spanikowany i strzelał jak szalony. To było bez sensu, bo przecież go ubezpieczałem! A co do samego ubicia – poszczęściło mu się z tym strzałem, nic więcej. Wszystkim nam się poszczęściło.

– Jaki ojciec taki syn, tak? – powiedział Zach jeszcze ciszej, prawie niedosłyszalnie, ale zabrzmiał tym bardziej groźnie. Garth położył rękę na napiętym, lekko drżącym ramieniu ojca i zwrócił się do Singera:

– Nie ma powodów do obaw, Ned… eee, panie Singer. Wykonam wszystkie polecenia, i to *bardzo* szybko!

– Doskonale – skinął głową Singer. – O to tylko mi chodzi. Ale słuchaj: nie będę robił żadnych wyjątków. Następnym razem gdy coś ci odbije i zaczniesz strzelać we wszystkie strony świata, nie będę się z tobą cackać jak z dzidziusiem. O nie, zatroszczę się wtedy o Numer Jeden, czyli o siebie. Mamy zabijać latry, a nie swoich! Zrozumiano, Slattery?

– Tak, zrozumiano – odpowiedział Garth, zdając sobie sprawę z napięcia, które rośnie w jego ojcu, i lekko uspokajając go dotykiem.

– Doskonale, doskonale – skinął ponownie zadowolony Singer. – Czekaj na moje wezwanie. Pójdziemy pieszo oczywiście. Z bronią w pogotowiu i latarkami w dłoni. Będzie ciemno, więc naładuj je dobrze.

Po tych słowach Ned postanowił przecisnąć się do dwu innych członków jego drużyny. Drogę szybko jednak zablokowała mu podstawiona przez Zacha noga.

– Co jest? – zapytał Singer, prawie się przewracając.

Zach uśmiechnął się do niego dziwacznie i powiedział:

– Wygląda na to, że musimy poważnie porozmawiać o pewnych sprawach. I to całkiem szybko, jak tylko znajdzie się wolna chwila.

Singer zrozumiał, o co chodzi, i zareagował sarkastycznym uśmiechem:

– Co, urządzimy sobie małą awanturkę? Tylko ja, ty i twoja sztywniutka noga?

– Lepiej dla ciebie by było, gdybyś zapomniał o mojej nodze i zaczął martwić się resztą mnie, Ned. Na przykład moim kastetem – odpowiedział, ponawiając swój dziwny uśmiech.

Zach wolno wycofał po tym swoją nogę, a Ned oddalił się tak szybko, jak tylko pozwalały na to warunki. Powoli opanowując się, Zach zwrócił się do Gartha:

– Synu, nie mógłbym być bardziej z ciebie dumny, naprawdę! Najpierw w zbieraczach, potem strażnik na moim starym motorze, a teraz najmłodszy członek oddziału Neda Singera! Cóż, może być z nim problem, ale nic na to nie poradzimy. A teraz oddaj mi swoją broń i weź moją strzelbę. Jej naboje były stare już sto lat temu, ale są dobre i wypróbowane. Oddasz mi ją, oby nieużywaną, kiedy będzie już po wszystkim.

Zach przerwał na chwilę, wziął niepewny oddech i zmienił temat:

– Garth, synu, dopóki mamy jeszcze czas przed ruszeniem na akcję, możesz mi powiedzieć, o czym bredził Singer? Słuchaj, w ogóle bym cię nie winił i nie miałbym ci za złe, jeśli faktycznie trochę spanikowałeś. To byłoby całkowicie zrozumiałe. Ale w zasadzie niezbyt wiele mówiłeś o tej sytuacji. Rozumiem, że możesz nie chcieć o tym długo rozprawiać, ale może jednak opowiesz mi choć trochę o tym, co się wtedy zdarzyło?

– Mógłbym – odpowiedział Garth, wzruszając ramionami. – Ale nie ma tu zbyt wiele do opowiadania. To, co Ned widział po swojemu, ja widziałem po mojemu, tyle…

Mając nadzieję, że to wystarczy, Garth ponownie wzruszył ramionami. Spojrzał na ojca, który jednak wyraźnie oczekiwał nieco bardziej rozbudowanej historii. Garth westchnął więc z rezygnacją i kontynuował:

– W porządku. Nie mam nic do ukrycia, więc opowiem wszystko. Billy Martin stał na lewej flance, ja w środku, Ned Singer zabezpieczał tyły. Cała trójka była równomiernie rozłożona wzdłuż kolumny. Billy nieco ją wyprzedzał, co – jak mi powiedziano – jest normalne w wypadku przedniego strażnika, który jednocześnie rozpoznaje teren. Czegoś takiego jeszcze nigdy nie musiałem robić. No ale w pewnym momencie zobaczyłem czerwone światło latarki Billy'ego i usłyszałem jego ostrzegawczy krzyk. Była akurat pełnia, księżyc unosił się wysoko nad górami. Wydawało mi się, że zobaczyłem jakiś ruch, cztery sylwetki poruszające się po tej stronie szczytu, gdzieś w okolicach, w których musiał znajdować się Bill. Zaniepokoiłem się. Z tyłu dobiegał mnie dźwięk zwiększającego obroty motoru Neda. Zapewne zobaczył ostrzeżenie Billa i postanowił ruszyć mu na pomoc. Ale ja byłem bliżej i mogłem do niego dotrzeć znacznie szybciej! Droga wydawała się czysta, więc ruszyłem do przodu. Wkrótce w świetle latarki dojrzałem Billy'ego. Zszedł z motoru i ukrywał się za jakimiś skałami. „Uważaj, Garth! – krzyknął do mnie. – Są na przedzie i z obu stron... Nie wiem ile!". „Spadajmy więc stąd! – odkrzyknąłem. – Takie są zasady, Billy. Wrócimy do konwoju, sygnalizując latarkami zagrożenie, Singer nas zobaczy i poleci za nami, a strzelcy w konwoju już zajmą się tym, co się do nas doczepi". „Nie mogę jechać! – zawołał. – Motor mi nawalił, silnik przestał działać. Będę musiał siąść za tobą". „Dobra, ale szybko!" – odpowiedziałem, próbując zahamować obok niego. I w tym momencie zaatakowały latry... Było ich troje – ciągnął Garth. – Zdawały się unosić w powietrzu. Ich nagie nogi niemalże nie dotykały ziemi. Poruszały się z wyciągniętymi ramionami, ich ohydne oczy płonęły. Powiewały włosami jak strąki i strzępami odzieży. Poruszały się niewiarygodnie szybko i zwodniczo. Zobaczyliśmy je w ostatniej chwili, zanim znalazły się tuż przy nas: jeden po prawej stronie, jeden nieco dalej, inny zmierzał do nas centralnie przez masywnie wysklepioną skałę, ślizgając się czy raczej spływając w nasza stronę, jakby były strumieniem wody.

Billy nie miał wystarczająco dużo czasu, by wspiąć się na motor za mną, a ja nie mogłem odjechać bez niego. Dlatego mogłem zrobić tylko jedno: korzystając z osłony, jaką stanowił motor, zsiadłem z niego, oparłem się o kamienie, chwyciłem karabin... i nie było ani chwili do zastanowienia. Widziałem, że Billy wystrzelił, lecz nic się nie wydarzyło... jego broń się zacięła! Dostrzegłem po prawej sięgającego po niego stwora, który już poruszał szczękami, ale nie mogłem go zabić, bo Billy stał na linii ognia! Wychyliłem się, odstrzeliłem kawałek skały i niestety chybiłem. To znaczy niezupełnie chybiłem, bo trafiłem latra w ramię, a on stracił równowagę, ześlizgnął się ze skały i spadł na ziemię.

Wtedy właśnie uświadomiłem sobie, że słyszę odgłos motoru Singera przejeżdżającego z tyłu, i zrozumiałem, że lada chwila Ned włączy się do walki. Tymczasem Billy zauważył latra, uchylił się przed nim i rzucił się do ucieczki. Potknął się, przewrócił, upadł na plecy, a stwór już niemal na nim siedział! Udało mu się wypalić, przeładować i znów strzelić, a tym razem potwór tylko westchnął, to było takie dziwne westchnienie, zatrzymał się w locie i jakby zapadł się w sobie.

Usłyszałem kolejne westchnienie, albo, co prawdopodobniejsze, jęk przyjemności czy też jej zapowiedzi, i obróciłem się w lewą stronę. Latr sięgał po mnie, ociekając szlamem, szaleńcze światło płonęło w jego oczach, gdy szponiastą ręką wyszarpywał karabin, aby odrzucić go na bok! I tak pociągnąłem za spust, a wystrzał odrzucił daleko jego łapę. Wystrzeliłem raz jeszcze, za szybko, ale i tak udało mi się wzbudzić w nim przerażenie. Zrobił unik, ponownie się do mnie zbliżył, a jego spierzchnięte wargi uniosły się, odsłaniając kły popękane jak rozbite szkło i żółte jak światło księżyca.

Wtedy właśnie dostrzegłem Neda Singera, nadal siedzącego na motorze, którego silnik warczał na jałowym biegu. Nie wiem, może nie powinienem o tym mówić, ale... Ned wyglądał tak, jakby zaraz miał ruszyć. Ale przecież to niemożliwe? Nie mógł strzelać z obawy, że trafi we mnie, być może czekał, aż wyrwę się ze szponów latra, zanim do niego strzeli albo go przejedzie, okaleczając go. Tak właśnie musiał myśleć, choć nie mogę być tego oczywiście pewien... to wszystko rozegrało się tak szybko!

Stwór złapał mnie za kurtkę i był to chwyt niewiarygodnie silny. Przyciągnął mnie blisko do siebie, oblizał swoje obrzydliwe, zaślinione wargi, obwąchał mnie zmarszczonym, zasmarkanym nosem. Wydawało mi się, że się ze mnie po cichu wyśmiewa. Trzymał mnie tak blisko siebie, że nie byłem w stanie sięgnąć po swój karabin, żeby tę paskudę odstrzelić.

Tymczasem ten latr, który spadł na skały, pozbierał się jakoś i znów stanął na dwóch nogach. Billy strzelał w jego stronę, jeden z jego strzałów dosięgnął celu, prawdopodobnie rykoszetem z prawej strony, i usłyszałem, jak stwór jęcząc podchodzi do tego, który mnie trzymał. Odsunął się trochę, ale mnie nie wypuścił, nieco tylko rozprostował rękę. To wystarczyło jednak, żebym dał radę wyciągnąć tkwiący między nami karabin i wystrzelić z niego prosto w jedno z jego lśniących siarką żółtych oczu! Wtedy, jak chyba już powiedziałem, zobaczyłem, że jego głowa rozpryskuje się niczym flakowata purchawka!

Ale ojcze, przyznaję, że się przestraszyłem i raz jeszcze strzeliłem w tego rozwalonego potwora, a potem znowu do latra wciąż jęczącego i charczącego na skałach. I owszem, kule moje i Billy'ego latały w powietrzu trochę bez ładu i składu, a przyczyną tego był raczej szok niż konieczność, nie było jednak tak źle, jak opisał to Ned... w każdym razie nie wydaje mi się.

Co do Neda, nadal nie schodził z motoru i celował ze swojej broni do mnie i do Billy'ego. Tak sądziłem, dopóki nie zobaczyłem czwartego wychylającego się zza tego samego kamienia i dopóki jego straszliwa głowa nie rozprysła się na wszystkie strony po wystrzale Neda. I to wszystko...

Zach powoli skinął głową.

– I to wszystko? – powiedział.

– Tak. Nic więcej nie mam do powiedzenia.

– Może nie – warknął Zach. – Ale masz sporo do przemyślenia. Posłuchaj mnie teraz: może mówiłem o tym wcześniej, albo tylko wspominałem, mogę też zupełnie się mylić, bo trudno o pewność, gdy chodzi o kogoś, kto z natury jest tak niemiły i irytujący jak Ned Singer, o którym łatwo myśleć jak najgorzej, ale wciąż zależy mi, abyś uważał na tego człowieka. Latry, śmiercionośna broń, niebezpieczne sytuacje, i owszem, także pewna zazdrość ze strony Neda, niezależnie od tego, czy on się do niej przyznaje, to sprawy, które nie wróżą zbyt dobrze. Jedna rzecz jest pewna: bardzo się cieszę, że Billy Martin był tam z tobą, że nie byłeś sam na sam z Nedem, o ile rozumiesz, co mam na myśli.

– Staram się nie rozumieć – odpowiedział Garth. – Zdecydowanie wolałbym sądzić, że Ned jest jedynie trochę zazdrosny, choć przecież naprawdę tego nie wiem, i co najwyżej wyżywa się na mnie. Nie może być chyba tak źle, jak mówisz, w każdym razie chyba Layla Morgan tak nie uważa.

Tym razem to Zach wzruszył ramionami.

– Co dla jednego jest jedzeniem, dla drugiego trucizną – powiedział. – W każdym razie dobrze ci radzę: bądź ostrożny. Ponieważ jeżeli jednak jest coś, czym się trzeba martwić, to ta mała sprzeczka z rana nie wniosła wiele dobrego!

W tym momencie konwój się zatrzymał, wszystkie silniki ucichły, a cień pobliskiego przysadzistego budynku zaczął kusić ich swoim chłodem, możliwością jego eksploracji, a może także oczyszczenia.

4

Połowa kolumny ścieśniła się w cieniu ogromnej budowli, a druga, pod osobistym przywództwem Big Jona Lamona, zbliżyła się do innego wysokiego, zniszczonego gmachu.

Po chwili, kiedy Garth usłyszał ryk Neda Singera, wzywającego swój niszczycielski oddział do rozproszenia się, zerwał się na równe nogi i wyskoczył z pozbawionego ścian wozu, pomagając sobie rowerem przy schodzeniu z niego. W pośpiechu dołączył do Singera, stojącego na stosie gruzu i ściskającego w muskularnych rękach potężny karabin maszynowy.

Singer gładził stalowy uchwyt swojej paskudnej broni niczym ukochane dziecko i kiedy jego oddział już się zebrał, powiedział do nich:

– Cokolwiek się stanie, gdy będziemy już w środku, niech nikt nie wchodzi w drogę temu karabinowi! Kiedy ta bestia wkracza do akcji, może ścinać drzewa, wybijać dziury w ścianach i zdmuchiwać wszystko, co żywe, martwe czy też nieumarłe, prosto do piekła!

Potem, wodząc wzrokiem od jednej twarzy do drugiej, mówił do każdego z osobna. Pierwszy był Billy Martin.

– Billy, ile masz lat?

– Dziewiętnaście – padło w odpowiedzi.

– A ile zabiłeś?

– Siedem, najwięcej, kiedy z tobą chodziłem, jak pracowaliśmy w Southern Refuge.

Singer kiwnął głową.

– Więc wiesz co nieco o takich miejscach jak to, o niebezpieczeństwie czyhającym w ciemnych kątach? W porządku, o ciebie nie mam się co martwić.

Przeszedł dalej.

– A wy wszyscy: Dan Coulter, Peder Halbstein i Eric Davies? Chyba znam was trzech wystarczająco dobrze, każdy żonaty i dzieciaty. Macie zbyt wiele do stracenia, nie ma w was nic z szaleńców, można wam spokojnie ufać, więc wam zaufam.

Singer zwrócił swoje kose spojrzenie na Gartha.

– I jeszcze ten młody, syn zadziornego kogucika, może tak nieokiełznany jak ojciec, przynajmniej w swoim czasie. Kogucik to chyba odpowiednie określenie dla kogoś tak młodego i tak naiwnego. A mimo to niektóre hoże dziewuszki wolą dojrzałych mężczyzn, co, mały Slattery? Jeśli chodzi o mnie, nadal wolę traktować takich jak ty niczym szczenięta!

Zanim Garth zdołał cokolwiek odpowiedzieć, Singer dodał:

– Możesz się trzymać blisko mnie, a przynajmniej na tyle blisko, żebym mógł mieć na ciebie oko.

A potem, ignorując młodych, mierząc wzrokiem całą kolumnę i przyglądając się, jak członkowie klanu szukali miejsca, aby odpocząć, rozprostować nogi, rozmasować mięśnie i znaleźć trochę cienia, Singer kontynuował:

– A teraz gdzie jest ten chudy Garry Maxwell i jego pieski, co? A, właśnie nadchodzi.

Wysoki, szczupły mężczyzna wiodący na długich skórzanych smyczach dwa równie szczupłe psy myśliwskie szedł szybko, prawie biegnąc, od jednego z wozów ze zwierzętami. Garth zastanawiał się, kto kogo prowadzi, Maxwell swoje psy czy też one Maxwella, i nie mógł powstrzymać uśmiechu. Ale istotnie ten wyniszczony, chudy jak szkielet mężczyzna dokładnie wiedział, co robi, podobnie jak jego psy. Kiedy Maxwell stanął w miejscu, ciągnąc je za smycze i wymuszając zatrzymanie się, a potem rzucił na ziemię strzęp szmaty, psy natychmiast przestały węszyć, szukając jakiegoś nieodgadnionego tropu, i rzuciły się na szmatę, szczekając i warcząc z wściekłości.

Maxwell pozwolił im się krótko pobawić w szarpanie, na końcu uderzając ich po nosie i odbierając im szmatę.

– Szmata latrów – wyjaśnił niepotrzebnie – znaleziona przy trupie. A może raczej przy takim, z którego uciekł już wszelki żywot. Dzięki temu psy wiedzą, co my tu robimy, i się tego trzymają! – Potem dodał, zwracając się do Singera: – Ned, jeżeli ty i ktoś z twoich będzie mnie pilnować, to ja i moi chłopcy jesteśmy gotowi!

– W takim razie w porządku – powiedział Singer, zeskakując ze swojej kupy gruzu. – Załatwmy to, posprzątajmy tutaj i wywalmy całe to gówno, o ile jakieś zostało, i wpuśćmy wszystkich bezpiecznie do środka, zanim słońce wzejdzie wyżej i zacznie naprawdę przygrzewać!

Były jeszcze dwa takie oddziały i dwaj treserzy z psami, ale oba poszły za Big Jonem Lamonem do pobliskiego zrujnowanego kościoła. Garth słyszał, jak ludzie tak właśnie nazwali to miejsce. A teraz, jak o tym myślał, przypomniał sobie widok porośniętego bluszczem i tchnącego jakimś spokojem budynku, rzecz jasna kościoła, który wyglądał niczym jak rozbity kadłub statku pośród pokrytych ziemią kamieni tworzących stosy i hałdy. Taki obraz widział w jednym z rozpadających się w pył tomów znalezionych w miejscu, które niegdyś było biblioteką w Southern Refuge. Jedyna różnica polegała na tym, że budynek był nietknięty i zwieńczony z przodu strzelistym kolcem, zwanym wieżą.

Garth i jego ciekawość, jego niemal nienasycone pragnienie wiedzy… Przeczytał albo przynajmniej przekartkował prawie każdą książkę, jaką miało do zaoferowania Southern Refuge, a było ich może ze trzydzieści. To, co przeczytał, na zawsze zostawiło go w poczuciu, że został złapany w potrzask w swoim schronieniu. Ogromny podziemny labirynt, ze swoimi dwoma i pół mili warsztatów i galerii, sal i „domów" (najwyżej dwupokojowych jaskiń), był miejscem, które Garth poznawał centymetr po centymetrze, tworząc w swoim umyśle mapę krętych uliczek, po których wędrował po szkole godzinami, dopóki jego ojciec nie skończył pracy w sortowni, dokąd trafiały często wartościowe łupy zbieraczy odkryte w martwym mieście i w osadach znajdujących się w świecie „zewnętrznym".

Ale to była już przeszłość, a teraz Garth musiał skoncentrować się na teraźniejszości, czyli na tym niewiarygodnie dla niego ogromnym betonowym budynku, do którego mieli właśnie wejść.

Pierwszy wszedł Garry Maxwell ze swoimi psami, tuż za nim Ned Singer z jednej i Garth z drugiej strony, a pozostali członkowie oddziału z tyłu za nimi. Po tym, jak znaleźli się w środku, a psy zasygnalizowały, że wszystko jest w porządku, a może nie? – mieli rozdzielić się na trzy dwuosobowe zespoły, przy czym Garth tworzyłby parę z Singerem. Pod jego dowództwem miał się też znaleźć Maxwell.

Budynek miał, przy całym swoim ogromie, tylko dwa wejścia, czy raczej jedno wejście i jedno wyjście. Oba były otwarte na oścież i zarośnięte trawą i jeżynami, a ich futryny miały jakieś trzy metry szerokości. Najbliższy z nich wciąż miał metalową tabliczkę kiwającą się na żelaznej pozostałości czegoś, co kiedyś było śrubą. Większość białej farby płatami odeszła od napisu, ale wytłoczone w metalu znaki nadal dawało się odczytać: PARKING MIEJSKI.

Niezbyt wykształcony i głupi nawet według standardów obowiązujących w schronisku Ned Singer mruczał ponuro sam do siebie, gdy razem z Garthem podążał za Maxwellem i jego psami: „To oni zostawiali tutaj samochody? Dlaczego tak się ograniczali, skoro mieli do dyspozycji tyle przestrzeni? Dlaczego nie zostawili ich w domu, w swoich domach? A przecież nie ma ani jednego samochodu w zasięgu wzroku! Skoro mieli takie parkingi, dlaczego ich nie używali?".

Garth wiedział, że nie powinien się odzywać, ale mimo to powiedział:

– To miejsce musiało służyć ludziom przyjeżdżającym do miasta. Parkowali tu i potem jechali do pracy czy też gdziekolwiek indziej, gdzie mieli coś do załatwienia.

– Naprawdę? – ironizował Singer. – Czyli wiesz to na pewno?

– Nie, ale to wydaje się logiczne.

– W takim razie dlaczego nie ma tu żadnych samochodów? A może i to jest logiczne, co?

– Właśnie że tak – odparł Garth. – To dlatego, że bomby spadły w nocy, kiedy ludzie byli w domu...

Singer zastanowił się przez chwilę i wymamrotał:

– Ty i twoje pierdolone wykształcenie! Uczeń, co? Ja to mogę na palcach jednej ręki policzyć, ile razy byłem w klasie! – powiedział z wyraźną dumą.

– Hej, chłopcy! – wrzasnął głośno na psy Garry Maxwell. – Uwaga! A wy tam, przygotować spluwy, ale do jasnej cholery pilnujcie, gdzie celujecie!

Groźnie patrząc na Gartha, Singer poklepał swoją paskudną broń i powiedział:

– Jedyne wykształcenie, jakiego tam w schronisku potrzebowaliśmy, a właściwie w całym Southern Refuge, to było, jak załadować i odpalić jednego z tych dużych kolesi. To, i może jak znaleźć dobry łup w całym tym gruzowisku. I jeszcze jak niszczyć latry i rozpierdolić je na cholerne kawałki, to wszystko, co nam było potrzebne, cała wiedza mojego starego, który był zbieraczem przede mną. I miał rację. Jedyne, w czym się mylił, to przekonanie, że jest niezwyciężony. Zignorował ostrzeżenia o promieniowaniu i poszedł tam, gdzie paliły się te niewidoczne ognie, które w końcu spaliły też i jego samego. – Chociaż Singer mówił głośno i zdecydowanie, to jego głos zabrzmiał nagle nieco ciszej, spokojniej, kiedy zakończył: – W dniu, w którym go pochowali, pochowali ciało mojego ojca, tak głęboko… to wciąż wskaźniki promieniowania tykały jak stado oszalałych zegarów! Twardy, niezłomny stary skurwiel!…

Przemierzyli już ćwierć drogi w dół długiej sali, a po obu jej stronach podłoga rozdzielała się na puste zatoki, ledwo widoczne pod warstwami gruzu i pyłu. Czterej członkowie innych drużyn rozdzielili się, wchodząc na rampy prowadzące do wyższych poziomów. Budynek był teraz niepokojąco spokojny, cisza sprawiała, że nawet najlżejszy krok był wyraźnie słyszalny, a sapanie psów napinających swoje smycze odbijało się echem od niejasno zarysowanych ścian niczym skowyt pradawnych bestii…

Za nimi blade światło świtu dobiegające od strony wejścia stopniowo zanikało, a przed nimi zmierzające naprzód cienie ich sylwetek blakły z każdym krokiem, który wiódł ich coraz dalej w ciemność.

– Teraz ostrożnie – powiedział Ned Singer cicho. – Powoli, małpko, powoli…

– Małpko? – szepnął Garth.

– Stare powiedzonko mojego ojca – jeszcze ciszej odpowiedział ktoś inny.

Teraz, niemal w pół drogi w dół pozbawionego okien korytarza, w wąskich, żółtych smugach ich pochodni rozświetlających gęstniejący mrok, wyłoniła się nagle szara betonowa rampa prowadząca wzwyż. W tym samym momencie psy myśliwskie zaczęły skowytać i szamotać się trochę, nie napinając już smyczy, a gdy grupa zbliżyła się do podnóża rampy i uczyniła kilka kroków w stronę zupełnej już ciemności, na wezwanie Maxwella zatrzymały się i wycofały na sztywnych nogach. Wtedy rozległ się gardłowy okrzyk Maxwella:

– Iiiiii… teraz! Popatrzcie, moi chłopcy nie są już tacy odważni, co? Ogony opuszczone, nie chcą iść, wywąchali coś paskudnego na tej rampie po jej ciemnej stronie. Widzicie, jak się ociągają? Cieszą się, jak mają śledzić latry, ale też wiedzą, kiedy zrezygnować i się wycofać. Jak chcecie, możecie ich wyzywać od tchórzy, ale jak tak na nich patrzę, to my się powinniśmy zacząć bać… no ja na pewno boję się jak diabli! Teraz wasza kolej, żeby strzec mnie i moich piesków!

Po czym szybko zsunął się na miejsce między Singerem a Garthem, pozwalając psom z piskiem i jękiem przywrzeć do swoich długich nóg.

– Palce na spustach, ale delikatnie! – warknął Singer, zniżając pochodnię do poziomu, na którym znajdowała się jego broń. Powoli posuwając się naprzód, Garth już chwilę później znalazł się z przodu na czele drużyny. Nagły nerwowy skurcz zabrał mu na chwilę oddech, a światło jego pochodni zaczęło chaotycznie omiatać ciemność, wyszukując krzyżujące się smugi światła przecinające mrok, zbyt nikłe, by cokolwiek odsłonić przed jego wzrokiem. Ale jego oczy nadal wpatrywały się przed siebie, gdy na próżno usiłowały przeniknąć zasnuty pajęczynami mrok tego strasznego kąta, a po jego kręgosłupie przebiegł dreszcz, gdy wyczuł prawie fizyczny ciężar obecności Neda Singera o krok lub dwa za sobą.

Ale w końcu, po kilku sekundach, z których każda wydawała się dłuższa od minuty, zaczął dostrzegać pewne kształty i kontury na podłodze. Była to sterta śmieci, stara pościel i inne rzeczy skłębione w białej hałdzie… i nagle coś się poruszyło! Szczur przebiegł po podłodze, za nim następny. Ale Garth nacisnął na spust zaledwie ułamek sekundy po tym, jak zobaczył czy raczej wyczuł ten ruch. Mimo to nic się nie stało. Niczym przestraszony nowicjusz nieobznajomiony z bronią swojego ojca zapomniał odbezpieczyć karabin. A teraz, cicho przeklinając własną głupotę, zsunął drżący palec z cyngla, odbezpieczył broń i wreszcie... wreszcie odważył się głębiej, choć wciąż jeszcze ostrożnie, odetchnąć.

Nagle usłyszał tuż za sobą, niemal tuż przy uchu, urywany zdyszany głos Singera:

– W porządku, to ci mogę przyznać, uczniaku... Jak na szczeniaka szybko się uczysz! Na przykład jak uratować swoją skórę i zachować spokój w dziwnej sytuacji! Gdybym to ja był z przodu, pewnie byłoby trochę krwi gryzoni i może jakieś zwłoki na podłodze. Uznaj, że cię poklepałem po plecach, tylko nie chwal się tym na prawo i lewo!

Zaskoczony Garth zatrzymał się, żeby pomyśleć, aż dotarła do niego cała prawda: „Zajęty przede wszystkim sobą Ned nie zauważył mojego błędu. Dobrze, bo inaczej na pewno by się na mnie powyżywał. A jeśli chodzi o poklepanie po plecach, to tylko proste pochlebstwo, przykrywające jego własny strach, bo przecież dobrze widziałem, jak się trzęsie". To ostatnie niekoniecznie było prawdą, ale dodało Garthowi sporo otuchy.

* * *

Teraz, kiedy zarówno Garth, jak i Singer kierowali światło swoich pochodni w kierunku niespokojnego kąta, wyraźniej było widać bałagan na podłodze. Przełykając wstręt, Singer zawołał Garry'ego Maxwella z jego psami:

– Chudy Garry – warknął, odzyskując kompletnie panowanie nad sobą, i to tak szybko, że można było nie zauważyć, że w ogóle je stracił. – Dawaj tu z powrotem te swoje parszywe niuchacze, bo nie mają się czego obawiać. Wcześniej może, ale teraz już na pewno nie. To tylko małe kupy latrzego gówna i resztek, nic więcej!

Z pewną niechęcią, prawie ciągnąc ze sobą psy, Maxwell okrążył ostrożnie rampę. Wtedy, nie czując już niczego, co mogłoby je przestraszyć, zwierzęta stopniowo odprężyły się. Ich ogony pozostały opuszczone w dół, ale mimo to szły naprzód, niestrudzenie węsząc i obwąchując wszystkie zakamarki, a zwłaszcza walające się w nich resztki.

Resztki to było właściwe słowo, przynajmniej w odniesieniu do części tych śmieci. Na przykład do niedużej połyskującej na biało sterty.

– Kości! – wydyszał Garry Maxwell. – Na miłość boską, psie kości!

Jego własne psy myśliwskie doszły do tego samego wniosku. Z rozognionymi oczami, skamląc, jęcząc i pokazując zęby, wycofały się niepewnie, pozostawiając za sobą szczątki tamtych psów, i przywarły do nóg swojego pana. Przyklęknąwszy na jedno kolano, Maxwell uściskał je i zamruczał:

– I co, i co? Te łajdaki zjadły psy? – spojrzał w górę, zmarszczył brwi ze wstrętem i z konsternacją popatrzył na towarzyszy.

– W każdym razie coś, co miało mięso i czerwoną krew – przytaknął Ned Singer. – Ale oczywiście chodzi głównie o krew. Nic dziwnego, kiedyś widywałem całe stada dzikich psów uciekających przed tymi przeklętymi potworami. Spójrzcie na tamtą czaszkę: dwa komplety szczęk! To był mutant, ale nawet wszystkie zęby całego świata nie mogłyby go uratować przed tymi skurwielami.

– A materace? – Garth spytał z wahaniem. – To znaczy te latry muszą chyba jakoś sypiać?

– Nie wiadomo – Singer potrząsnął głową. – Chyba tak, ale na pewno to nie wiadomo. W ciągu dnia ukrywają się w miejscach takich jak to, pozbawionych słońca, więc moim zdaniem mogą też tak odpoczywać. Niby dlaczego miałyby spać na betonie, skoro mają materace, co nie? Tyle rozumu mają chyba nawet latry!

Dla Gartha brzmiało to całkiem sensownie.

Nagle zabrzmiało przeciągłe gwizdnięcie, które na równe nogi poderwało ich trzech, podobnie zresztą jak i psy. Były to właściwe dwa przeciągłe gwizdy, odbijające się echem od rampy i wędrujące ku górze. Był to nie tylko sygnał, że wszystko w porządku, ale i coś więcej: zwoływanie stada.

– Chcą, żebyśmy coś zobaczyli – chrząknął Singer – coś, co same widzą z góry. – Potem zwrócił się do Maxwela: – Chudy Garry, na zewnątrz są ludzie, którzy czekają na nasze wezwanie.

Powiesz im, że mogą bezpiecznie wejść? Ja z chłopakiem pójdziemy na górę i zobaczymy, co jest grane.

Kiedy Maxwell schodził w dół tą samą drogą, którą tu przyszli, Garth i Singer ruszyli w górę rampy, by wspiąć się na wyższe poziomy parkingu.

W drodze kierowali się pokrytymi kurzem śladami stóp drugiej ekipy i na odkrytym górnym poziomie spotkali pozostałych czterech zwiadowców.

Dan Coulter i Peder Halbstein stali w otoczonym murem kręgu, a druga ekipa stanęła w ich pobliżu. Wyglądało, że jest tam bezpiecznie, zwłaszcza że chmury tworzyły wystarczającą osłonę, więc Singer i Garth ruszyli, aby do nich dołączyć. Wtedy usłyszeli wystrzał.

– Aha! – krzyknął Singer, kiedy dotarł do muru, oparł się o niego i popatrzył w dół przez stertę gruzu, która kiedyś była budynkiem, na wpół zrujnowanym kościołem. – I co my tutaj mamy?

Zabrzmiały kolejne wystrzały i z otwartych ran kościoła wyleciały trzy trzepoczące cienie, kotłujące się, kłębiące, wyciągające chude ręce. Z ust na pierwszy rzut oka otwartych do ziewania wydobywały się słyszalne z bliższej odległości syki i ciche okrzyki. Latry ścigane wystrzałami przez uzbrojonych ludzi... Ale strzelanie nie było konieczne, bo nagle chmury się rozdzieliły, a światło słoneczne skośnym promieniem uderzyło od wschodniej strony.

Mimo to wydawało się, że wiele czasu minęło, zanim skutek działania promieni słońca zaczął być widoczny. Było tego czasu na tyle dużo, że latr na czele stada zdążył dolecieć do wozu, a potem wzbić się w górę... tylko po to, aby zestrzelił go ktoś siedzący w środku, odganiając pozostałe z powrotem w kierunku słońca. A tam, kwiląc cichutko, stwór zwiał się niczym uszkodzony owad i wyraźnie się kurczył, okrywające go szmaty zaczynały się dymić, a on sam rozpadał się w promieniach wschodzącego słońca. Pozostałe przetrwały chwilę lub dwie dłużej, ale radziły sobie nie lepiej: pod ciągłym ostrzałem zataczały się i opadały na ziemię, a w nieprzyjaznym świetle słońca została z nich jedynie kupka popiołu. W końcu czwarty i ostatni latr wynurzył się zza kościoła. Wspinający się za nim mężczyzna uzbrojony w miotacz płomieni zalał go wrzącym strumieniem płynnego ognia. Uwięziony w płomieniach potwór wyrzucił w górę swoje niesamowicie długie ręce i momentalnie obrócił się w zgliszcza.

I to był wreszcie koniec.

Wszędzie rozbrzmiewały gwizdy, a umęczeni ludzie zaczęli wysiadać ze swoich pojazdów. Gryzarka z buldożerem pojawiła się w polu widzenia, rozpychając na boki gruz z przodu kościoła. W krótkim czasie w ścianach tego świętego miejsca wybiła dziury wystarczająco duże, by umożliwić do niego dostęp większości konwoju.

Wkrótce parking trząsł się cały od ciężaru i hałasu przejeżdżających pojazdów uciekających od zabójczego światła i szukających w środku schronienia. Wtedy Ned Singer powiedział:

– Czas uciec ze światła słońca, zanim zacznie zjadać także nasze kości…

* * *

Schodząc w dół po rampie, Singer rozmawiał z Danem Coulterem i Pederem Halbsteinem:

– I co myślicie? W drodze przez ruiny widziałem napis „supermarket". Kiedyś na południu dość dobrze radziliśmy sobie w takich miejscach. To, które widziałem, było nieźle zrujnowane i nie miało stropu, ale kto wie, co znajdziemy pod całym tym gruzem? To tylko ulicę czy dwie stąd, ale jeśli tam chcemy iść, to teraz, zanim Big Jon znajdzie dla nas inną pracę. Ja myślę, że zrobiliśmy wystarczająco dużo jak na jeden dzień. A poza tym chętnie bym się czegoś napił – mrugnął porozumiewawczo.

– Chodzi ci o wino? – zapytał Peder Halbstein.

– A skąd – odparł Singer. – Po dziesięciu latach robi się z niego ocet, przynajmniej z większości z nich. A co dopiero po pół wieku… Mówię o czymś mocniejszym, co kopie niezależnie od tego, ile czasu minęło. Kiedyś w Southern Refuge znalazłem trzy pełne skrzynki tego towaru. Brandy! Ćwierć butelki i już masz zapewniony spokojny sen w środku dnia, sam zobaczysz.

– W takim razie świetnie, wchodzimy w to – powiedział Coulter, oblizując usta, a Halbstein skinął potwierdzająco głową.

– Dobrze! – rzekł Singer. – W takim razie weźcie co trzeba z wozu, załóżcie ciuchy ochronne i widzimy się przy wyjściu za dziesięć minut.

W dole na drugim poziomie parkingu Garth dostrzegł znajomą sylwetkę. Wśród ludzi otaczających konwój był jego ojciec. Zach Slattery uginał się pod ciężarem koców, broni i paru rzeczy osobistych, swoich i swojego syna, a wszystko to było w ciężkiej torbie podróżnej. Garth ruszył w jego stronę, żeby mu pomóc, ale gdy tylko Coulter i Halbstein zniknęli z pola widzenia, Ned Singer schwycił go za łokieć i przysunął do siebie.

– Chłopcze – warknął – jedno słówko.

– O co chodzi? – zapytał Garth.

– O dziewczynę, Laylę Morgan.

– Layla? Co z nią?

– No cóż – odpowiedział zupełnie bez emocji i jakiegokolwiek wzruszenia – mam serce tylko dla niej i tylko ją chcę, rozumiesz?

– No i co z tego? – odpowiedział Garth, nie mając pojęcia, co ma na to powiedzieć. Obojętnie wzruszył ramionami.

Singer jednak nie dał się na to złapać.

– Dobrze mnie posłuchaj, chłopcze. To moje grzeczne ostrzeżenie. Nie wchodź nikomu w drogę, a już na pewno nie mnie. Odpuść sobie robienie maślanych oczu i cały ten cyrk. Co, myślisz, że nie zauważyłem? Wręcz przeciwnie! Więc powiem to tylko jeszcze jeden raz: chcę mieć tę Laylę. A jak Ned czegoś chce, zazwyczaj to dostaje.

– A ona chce ciebie? – słowa padły z ust Gartha, zanim zdążył je zatrzymać. W końcu przecież musiał to wiedzieć.

– Mały Slattery – odpowiedział Singer, patrząc na niego groźnie. – To moja sprawa, nie twoja. Pilnuj własnego interesu. A co do uczuć między Laylą a mną to one są właśnie między nią a mną, nikt inny lepiej niech się tym nie interesuje. Zrozumiałeś?

Garth skinął głową.

– Zrozumiałem. Ale jeśli Layla chce ciebie tak samo mocno jak ty ją, to nie rozumiem, co cię martwi. Skoro tak, to wszystko dobrze się ułoży. Ona jest bardzo… bardzo miła – chciał powiedzieć, że cudowna – i będzie pewnie dobrą towarzyszką i wspaniałą żoną dla… no cóż, dla każdego!

– Dla mnie – powiedział z naciskiem Singer. – A jeśli chodzi o towarzyszkę, to na pewno w łóżku będzie słodka i ciepła, przynajmniej jak się ją trochę poujeżdża! – zaśmiał się.

Garth odwrócił się i nagle poczuł ogromną gorycz, bardziej w umyśle niż w ustach, i pomyślał: „Ned Singer, nie lubię cię ani trochę, i niech mnie szlag trafi, jeśli Layla Morgan lubi cię bardziej niż ja!".

Garth jednak nie znał się zupełnie na kobietach, na tym, co lubią, a czego nie. Nie mogło być zresztą inaczej, skoro niewinne lata młodości spędził w podziemnym labiryncie w Southern Refuge, nie znając naprawdę ani jednej kobiety. Nigdy przedtem nie czuł niczego podobnego wobec żadnej dziewczyny. A Layla Morgan…

Tu miał zdecydowanie mieszane uczucia, niektórych nie był wcale pewien i nie dbał o nie specjalnie… zwłaszcza teraz, kiedy Ned Spring powiedział mu te kilka słów. Ale co do Singera, jednej rzeczy był pewien: to co czuł wobec niego, to był zimny, choć palący, gniew, budzące mdłości uczucie wstrętu wobec jego ohydnych słów, i nienawiść bliska obrzydzeniu.

5

Garth pomógł ojcu znaleźć miejsce z dala od starego gniazda latrów w odległym zakątku najniższego poziomu. Docierało tam tylko słabe, nieszkodliwe światło dnia dobiegające od wejścia. Zach rozwinął cienki piankowy materac i położył go przy ścianie, nakrywając go ciężkim kocem. Potem wyjął z torby poczerniały od ognia żelazny trójnóg, butelkę cennej wody, stanowiącą połowę dziennego przydziału, słoik pamiętającej dawne czasy kawy rozpuszczalnej, która zdążyła się już zmienić w brązowy proszek z lekkim tylko posmakiem kawy, czajnik i mały palnik spirytusowy. Wreszcie gderając do siebie z niechęcią, samą torbę ułożył na ziemi jako poduszkę.

Klęknąwszy obok ojca, Garth sam przygotował się do odpoczynku. Ale kątem oka popatrywał na Zacha. Dobrze go znał i to, co działo się z nim teraz, wyglądało mu na zupełnie dotąd nieznaną niezwykłą dla ojca nerwowość.

Oparty na zdrowym kolanie Zach bez powodzenia starał się uklepać sztywną, kanciastą „poduszkę" i nagle zwrócił się do Gartha, pytając go znienacka:

– Zmęczony jesteś, co nie?

Początkowo potrząsnąwszy głową, Garth odpowiedział w końcu:

– No dobrze, może trochę. Ale wyspałem się w wozie ubiegłej nocy. Ty też?

Znów zauważył, że ojciec wygląda na niezwykle przejętego i znużonego.

– Tak naprawdę to nie – odpowiedział staruszek. – Noga dokucza mi trochę bardziej niż zwykle. Jak mi się wydaje, najlepiej będzie to jakoś rozruszać. Czyli jeśli masz zamiar tu zostać, jak już zajmiemy ten kawałek betonu, to może przejdę się i rozejrzę dookoła. Prawdę mówiąc, zauważyłem, że ta ładna młoda wdówka spojrzała na mnie raz czy dwa. Może powinienem ją odszukać, zagadać, zanim ktoś mnie ubiegnie, co?

I wszystko było jasne! Garth potrząsnął potakująco głową i odwrócił się, żeby ukryć uśmiech, który mógłby wprawić jego ojca w zakłopotanie.

Roześmiany Zach wziął cztery kawałki aluminiowej rury i związał je, tworząc prowizoryczną lekką kulę. Potem wstał.

– W porządku, już mnie nie ma – powiedział. – Ale nie mam zamiaru znikać na długo. Nie, wrócę i złapię kilka godzin snu, zanim Big Jon uzna, że czas ruszyć dalej... ale na pewno nie przed zachodem słońca. W takim razie do zobaczenia później.

Garth po prostu skinął głową i patrzył, jak Zach idzie w górę po rampie. Wtedy rozebrał się i schował swoje ubranie, żeby poczekało, aż praczki pracujące dla klanu się nimi zajmą, co biorąc pod uwagę niedostatki czystej wody, mogło zająć sporo czasu. Założył czystą, miękką, skórzaną przepaskę na biodra i wyciągnął się na posłaniu, aż po podbródek nakrywszy się kocem.

Wtedy właśnie zorientował się, jak bardzo jest zmęczony, ale sen jakoś nie przychodził. Zamiast tego jego myśli poszybowały do Southern Refuge, do czasów sprzed exodusu, kiedy Big Jon Lamon zwołał spotkanie, które na zawsze zmieniło życie mieszkańców podziemnego schroniska.

Big Jon przedstawił im swój plan awaryjny, oparty na pomysłach, strategii i propozycjach innych, dawno już zapomnianych członków starszyzny klanu. Mieli oni wizję przyszłości, w której z niewyjaśnionych do końca przyczyn trzeba będzie opuścić Southern Refuge i rozpocząć życie na nowo na skażonej ziemi.

W tym momencie Garth przypomniał sobie przedstawioną przez Big Jona listę wymagań przygotowawczych: spis prac, które musiały być wykonane, niezbędnego prowiantu, podstawowego zaopatrzenia.

Poprosił ekipy zbieraczy o dostarczenie ołowiu zerwanego z dachów zrujnowanych kościołów, który w warsztatach miał być zbity w arkusze. I rzeczywiście, przez co najmniej dwa tygodnie poprzedzające katastrofę i na dziesięć dni przed samym exodusem Garth, wychodząc na łowy z ekipą Singera, wysłuchiwał jego narzekań na nieskończone ilości ołowiu, które musieli ściągać pod ziemię.

– No tak, zatrzymuje sporo promieniowania – marudził Singer – ale na co nam tego aż tyle, skoro i tak siedzimy pod ziemią? Dobrze jest mieć coś takiego pod ręką, kiedy wyskakuje się tu czy tam na łowy, ale w schronisku, pod skałą grubą na kilometr?... Nie, to nie ma żadnego sensu, na pewno nie dla mnie. I jeszcze ten szef, ten niby wódz, Big Jon Lamon, co to nas wysyła na te głupie, jak oni to nazywają, akcje. Wkurwia mnie, że musimy robić każdą brednię, jaką wymyśli! Po jaką cholerę nam ponad dziesięć nowych ekip zbieraczy? Nie mogę tego pojąć! A może tylko nie chcę?

To ostatnie pytanie wynikało może z tego, jak ciężkie były płaty wleczonego przez nich metalu, które zaraz potem miały posłużyć do niekończącej się budowy wozów, wśród których była ogromna cysterna na wodę, wyraźnie przeznaczona do pracy na powierzchni. Pozbawiony wyobraźni umysł Neda Singera podpowiadał tylko jedno rozwiązanie: Big Jon zamierzał założyć prawdziwą armię zbieraczy!

Za tym zdecydowanie błędnym rozumowaniem Singera sporo jednak przemawiało. W warsztatach cała siła robocza została skierowania do naprawiania motorów zezłomowanych przynajmniej osiemdziesiąt lat temu, zanim jeszcze ktokolwiek ze współczesnych mieszkańców schroniska został poczęty, czyli w czasach ich przodków, wręcz pradziadków! Wszystkie te silniki, ze starożytnych autobusów, na wskroś przeżartych rdzą, pojazdów używanych całe dekady temu do przewożenia ludzi z klas uprzywilejowanych w samych początkach wojny, zgromadzono i zabezpieczono, najlepiej jak się tylko dało. Teraz instalowano je i umieszczano na metalowych podwoziach, które choć brzydkie i niezgrabne, mogły być wreszcie użyteczne.

Dokładnie tak, jak myślał Ned Singer, mogła to być początkowa faza tworzenia małej armii czy też raczej floty szybkich jednostek transportowych. Nie miała ona jednak służyć zbieraczom. Mieli się nią przemieszczać ludzie, a ona sama miała stać się konwojem i prawdziwą arką!

Wódz zbieraczy Bert Jordan i jego drużyna zostali zobowiązani do skupienia wszystkich swoich wysiłków na zdobyciu paliwa. W ruinach od ponad siedemdziesięciu lat znajdowały się niewielkie jeziora benzyny. Przetrwawszy w jakiś sposób holokaust strzelaniny i ognia, te podziemne zbiorniki czarnego złota, przed wojną karmiące stacje obsługi i silniki prywatnych samochodów, od dziesięcioleci służyły podobnym celom mieszkańców schroniska.

Trzecia drużyna pod dowództwem Dona Myersa miała za zadanie zająć to, co zostało z miejscowego arsenału wojskowego. Znacznej części uzbrojenia nie udało się odzyskać, ale pewna część znalezionej amunicji: magazynki, naboje i granaty zabezpieczone w skrzyniach, wciąż jeszcze ku powszechnemu zdziwieniu nadawały się do użytku. Ekipa Myersa wyszukiwała i zabierała każdy okruch tego skarbu, jak to od niepamiętnych czasów robili wszyscy zbieracze zbrojący się przeciwko latrom.

Ale zbieracze nie byli osamotnieni w swojej pracy. W samym Southern Refuge, gdy zaakceptowano już najgorsze, praca szła pełną parą. Ostrożnie napełniano setki kanistrów, każdemu z pojazdów zapewniając wiele galonów benzyny lub ropy. Trzy największe, najpotężniejsze wozy załadowano wyłącznie paliwem: benzyną, ropą i naftą. Korzystając z bezcennych rezerw, napełniono wodą ogromną cysternę. Przygotowywano konserwy, peklowano mięso, zabijano wszystkie skażone zwierzęta i ptaki, zbierano pasze z upraw hydroponicznych, konstruowano klatki i kojce do przewozu zwierząt, żeby jakoś zabezpieczyć się na niepewną przyszłość.

Po zrobieniu tego wszystkiego i wielu jeszcze innych rzeczy przyszła pora na ostateczny krok: zamknięcie należącego do schroniska małego reaktora, który jak na ironię pozostał nieskażony dzięki dziesięcioleciom prac technicznych i badawczych. Wyłączono generatory, zgaszono przyciemnione oświetlenie, a odjeżdżający konwój pożegnała cisza zalegająca cały ogromny labirynt, zwany niegdyś Southern Refuge...

Wszystkie te obrazy przesuwały się przed zmęczonymi oczami Gartha, pewnie tak samo jak przed oczami wielu innych uczestników konwoju, z których większość odpoczywała albo zapadła w niespokojny sen, jaki teraz właśnie zaczął ogarniać Gartha.

Miał oczy zamknięte chyba tylko przez chwilę, gdy nagle wyczuł, że stoi nad nim milcząca postać, której sylwetka odcinała się od oświetlonej odległym światłem dnia ściany. Nieruchoma postać młodej kobiety, którą po chwili rozpoznał.

– Och! – wyszeptała Layla Morgan, gdy tylko Garth otworzył oczy i uniósł się na swoim łóżku. – Garth, tak bardzo cię przepraszam! Nie chciałam ci przeszkodzić, ale widziałam twojego ojca, jak szedł sam, i... nie przypuszczałam, że już zasnąłeś, a skoro nie śpisz, to może moglibyśmy... bo chodzi o to, że nigdy nie ma okazji, żeby... jak myślisz? Może teraz jest dobry czas, żeby...?

Garthowi tak samo trudno było znaleźć słowa, a może nawet jeszcze trudniej, bo nie przebudził się do końca, choć zmęczenie szybko z niego opadło. Gorączkowo szukał jakichkolwiek słów, byle tylko nie zabrzmiały zbyt głupio.

– Tak? – skinął głową. – Mów dalej: teraz jest dobry czas, żeby... żeby co?

Layla bezradnie wzruszyła ramionami.

– Nie wiem! Może żeby porozmawiać? Choć nie, tak nie może być... To ty masz mówić... masz przekonywać!

Miał mówić do Layli, przekonywać ją? Serce Gartha podskoczyło. Chciała rozmawiać właśnie z nim, z Garthem Slatterym! Poprzednio mógł liczyć tylko na przelotny nieśmiały uśmiech, choć sam też był nieśmiały, na przypadkowe spojrzenia rzucane w odpowiedzi na jego zamyślone spojrzenia, których nie potrafił ukryć, a które mogły znaczyć wszystko albo nic, i niewiele poza tym... Ach! Był jeszcze ten pełen tęsknoty, niepokoju, a nawet smutku i żalu wyraz twarzy Layli ubiegłej nocy, kiedy ich oczy spotkały się na te kilka pełnych napięcia sekund, kiedy zdawało się, że atakują ich latry.

A teraz chciała z nim porozmawiać? Tak przecież powiedziała, prawda? Oczywiście, tak właśnie było! Ale powiedziała też, że to on miał mówić!

– Chciałaś porozmawiać? – wykrztusił Garth, niezgrabnie odchylając koc i niemal nieświadomie, instynktownie w niemym geście zapraszając Laylę do zajęcia miejsca tuż obok. Wtedy właśnie spostrzegł, że Layla przyniosła ze sobą swoje rzeczy, wszystko, co miało umożliwić jej odpoczynek: dość cienki zniszczony koc, poduszkę i parę miękkich, ciepłych, skórzanych spodni.

Wtedy ku jego zdumieniu Layla rzuciła wszystko tuż obok niego i usiadła u jego boku, starając się nie przysuwać za blisko, co mogło oznaczać wiele, albo też zupełnie nic, a potem owinęła kocem kolana i stopy.

Dopiero teraz Garth wydobył z siebie głos, znalazł odpowiednie słowa i właściwą dozę odwagi.

– Masz rację, nigdy nie mieliśmy szansy, okazji, żebym mógł coś powiedzieć o... no o czymkolwiek! A naprawdę chciałem... chciałem porozmawiać! I jeszcze ten Ned Singer. Zawsze kiedy jesteś blisko, on wyłania się jak spod ziemi, a tobie to jakoś zupełnie nie przeszkadza. W każdym razie ja nie zauważyłem. W sumie mogę to zrozumieć, on jest dojrzałym mężczyzną, doświadczonym, dowodzi własnym oddziałem. A przynajmniej dowodził, przed całą tą wyprawą. Sama więc widzisz...

– Więc widzę, że w ogóle nic nie rozumiesz, Garth! – szybko przerwała mu Layla. – Owszem, Ned zawsze jest blisko, bo odstrasza wszystkich innych! Inni młodzi członkowie klanu także się mną interesują, zwłaszcza odkąd zostałam całkiem sama. Ale jestem pewna, że Ned wszystkim groził. Jeśli tylko ktoś patrzy na mnie dłużej niż przez chwilę, to i tak zaraz traci zainteresowanie, gdy Ned z nim porozmawia. To okropny człowiek!

Garth przytaknął.

– Ned rozmawiał także ze mną, i wyraził się bardzo jasno. Właściwie mi groził, ale ja się nie przejmuję groźbami, przejmuję się tylko tobą. Ned mówi, że chce ciebie, ale ja też, i nie mam zamiaru tracić zainteresowania! – A jednak to powiedział! A może powiedział zbyt wiele? – Ale... ja jestem nikim, a on jest ode mnie starszy, do tego to mój zwierzchnik i...

– Naprawdę mnie chcesz, Garth? – znów weszła mu w pół słowa. – Tak naprawdę? Wiem, że jesteś młody, młodszy także ode mnie, ale nie jesteś już chłopcem. Widzę w tobie mężczyznę! Też byłeś zbieraczem, ochraniasz konwój, a co znaczy rok czy dwa, kiedy sama jestem zaledwie dziewczyną? Czas mija, Garth, i kto wie, jak dużo nam go jeszcze zostało. Mówisz, że mnie chcesz, ale może myślisz, że nie jesteś na mnie gotowy? Ja myślę, że jesteś, a raczej że razem jesteśmy gotowi… A co, jeśli powiem Nedowi, że nie jestem nim zainteresowana?

I wtedy, zanim Garth zdążył odpowiedzieć, zaśmiała się niepewnie. Przysunęła się bliżej, drżąc, choć nie od chłodu, przesunęła poduszkę i w końcu, wyciągając rękę, powiedziała:

– Teraz. Jak już wszystko sobie wyjaśniliśmy, teraz ja cię przekonuję i namawiam!

Ze ściśniętym gardłem i schrypniętym głosem Garth powiedział:

– Wiesz, myślę, że kiedyś o tym śniłem, albo o czymś w tym rodzaju, i teraz nie wiem, czy to nie dalszy ciąg tego snu. I myślę, a właściwie jestem pewny, że jestem już gotowy. A co do Neda Singera to nic mu nie musisz mówić. Sam z nim porozmawiam.

Położył się na plecach i przesunął trochę na materacu. Zwinne ciało Layli przysunęło się do niego, jeszcze bliżej. Odwrócił się na bok, żeby spojrzeć w jej twarz, a ona obróciła się do niego tyłem, wtulając się w niego jeszcze mocniej. Zakryci ubraniami, pod każdym względem przyzwoici, pominąwszy myśli i pragnienia, leżeli spleceni jak kochankowie, którymi mieli kiedyś zostać. Garth był tego pewien. Pieścił ją dłonią, która zdawała się poruszać niezależnie od jego woli.

– Ani słowa więcej – powiedział wtedy i dodał: – Każde kolejne słowo sprawiłoby ogromną trudność.

– Nie tylko tobie – odpowiedziała Layla, potrząsając głową i wzdychając. – Właściwie to myślę, że dość dobrze wybraliśmy nasze słowa!

Wkrótce para zapadła w sen. A dookoła nich w chłodnym mroku i cieniach dolnego poziomu parkingu około pięćdziesięciu innych uchodźców udało się na dobrze zasłużony odpoczynek. Kilka sąsiadujących z nimi par zauważyło przybycie Layli, a także to, że spała teraz tutaj. Kiwali głowami z aprobatą i zrozumieniem, zwłaszcza kobiety, uśmiechające się i szepczące po cichu do swoich towarzyszy.

Ale głęboko z tyłu, niewidoczny w najgłębszych cieniach, tkwił brzydki, zimny, wyrachowany człowiek o nazwisku Arthur

Robeson, który był na tyle sprytny, by trzymać w ukryciu swoją naznaczoną bliznami twarz i pozostawać w dyskretnej odległości od Layli Morgan, którą śledził od samego początku, gdy tylko zeszła z wozu. A Robeson należał do kumpli Neda Singera.

Teraz, widząc Gartha i wtuloną w niego Laylę, którzy leżeli tam razem w ciepłym i łagodnym świetle dnia, Robeson uśmiechnął się sardonicznie. Jego misja się zakończyła i mógł po cichu wrócić tam, skąd przyszedł.

* * *

Garth Slattery śnił i pierwszy raz, odkąd pamiętał, jego sen był pełen słodyczy. Śniła mu się ziemia czysta i zielona, z trawą po kolana, z bezkresnymi łąkami, z czystymi rzekami, w których nurcie pluskały się lśniące ryby. Śnił, że leży tam rzecz jasna razem z Laylą, schowany w wysokiej trawie. Rozgrzana, wykąpana i jasna Layla spała w jego ramionach.

Śnił mu się też ojciec, Zach, który stał na szczycie pobliskiego wzgórza, uśmiechał się, machał do nich i opierał się o lśniącą metalową kulę, która odbijała promienie czystego, zdrowego światła słonecznego.

Nie było widać gruzu ani spalonej ziemi, tylko dachy małych domów, na pół ukrytych wśród drzew porastających delikatnie nachylone stoki, z których ceglastych kominów unosił się niebieski dym. A po drugiej stronie rzeki za ogrodzeniem ich własnego pastwiska kilka sztuk żywego inwentarza pasło się z zadowoleniem.

Garthowi śnił się raj. Ale pośród budzącego się powoli ze snu konwoju nic nie zapowiadało raju, było wręcz przeciwnie...

* * *

Prawie dwie godziny później sen Gartha został nagle przerwany. Obudził go gardłowy krzyk gniewu, złości i bólu! To była Layla, to jej palce wczepiały się w jego rękę, za którą ktoś szarpał, odciągając od niego dziewczynę!

Początkowo Garth nie wiedział, co się dzieje. Wyrwany ze snu prosto w głęboki mrok zerwał się na bose nogi. Gdy tylko jednak się otrząsnął, wszystko stało się jasne jak kryształ. Stał tam Ned Singer, rozkraczony, z opróżnioną do połowy butelką w jednej ręce, drugą przytrzymywał Laylę. Potrząsał nią tak mocno, z taką złością, że musiała balansować i podskakiwać, żeby nie upaść. W końcu jednak nie dała rady i padła kolanami na szorstki beton!

– Ty kurwo, ty mała kurwo! – wrzeszczał na nią Singer pijackim głosem. – Nie ostrzegałem cię przed tym napalonym szczeniakiem? Uwiódł cię, co nie? Głupia mała kurwo! A może to ty jego uwiodłaś, co? – Cofnął się i wziął zamach nogą, żeby ją kopnąć. Garth był w pełni przebudzony i wściekły!

Pijak, słaniając się, stracił równowagę, gdy Layla uchyliła się przed kopniakiem, a atak Gartha go zaskoczył. Cios był wymierzony szybko i zaciekle, z gniewem i młodzieńczą furią. Singer dostrzegł go za późno. Nie uderzyła go łapa szczeniaka, ale pięść twarda jak skała, w której cios Garth włożył całą swoją siłę. Gdyby Singer zdołał się w ostatniej chwili zasłonić ramieniem, to uderzenie wymierzone w jego gardło mogłoby zgnieść mu tchawicę i przynieść śmierć na miejscu, a gdyby wylądowało na jego opadłej ze zdumienia szczęce, roztrzaskałoby ją w drobne kawałki. Jednak ramię Singera to twarde mięśnie i nieczułe kości, cios odrzucił go tylko w tył, butelka wypadła mu z ręki i rozbiła się o ziemię, a on sam plecami przywarł do muru.

– Co? Co? – ryknął wtedy, odzyskując równowagę. – Ty brudny kundlu! Bierzesz moją kobietę i... i co? Gwałcisz ją, co nie? Wszystko teraz rozumiem! A mało ci było tego obrzydlistwa, to jeszcze rzucasz się na mnie jak na Laylę wcześniej? Posłuchaj mnie dobrze, kundlu! My w naszym klanie dobrze wiemy, jak takich jak ty załatwić!

Wielki pistolet Singera wisiał na uprzęży biegnącej od szyi do ramienia. Wypuścił Laylę, którą dotąd mocno trzymał, i po omacku sięgnął po broń. Wyszarpnął ją ze strasznym, morderczym grymasem na twarzy i zaczął nią wymachiwać.

Wtedy pojawiło się trzech innych, jakby wyłonili się spośród cieni. Trzecią postacią był Zach Slattery, który z przekleństwem na ustach przykuśtykał o kuli, ale pierwszy, Big Jon Lamon, był w pełni sprawny. Lider klanu rzucił się między Gartha a napastnika, wyszarpnął mu z garści pistolet, odepchnął Singera na bok i błyskawicznie go rozbroił, przecinając jego skórzaną kaburę maczetą ostrą jak brzytwa. Wtedy broń całym ciężarem opadła na spoconą rękę Singera, wyślizgnęła mu się z palców i huknęła o ziemię.

Rozbrojony i zataczający się po pijacku Singer rozejrzał się groźnie i warknął w stronę otaczających go czterech mężczyzn: Big Jona, Zacha i głównego technika Andrew Fieldinga, ale przede wszystkim do Gartha, przytrzymywanego z wysiłkiem przez ojca i Andrew, wciąż gotującego się z wściekłości.

– Gnoje, śmierdzące skurwiele – wyklinał ich. – Same gnoje! Nie ma już w klanie ludzi honoru? Żadnych przyjaciół, żadnych sojuszników?

– A zasługujesz na jakiegoś? – odpowiedział mu Big Jon, tak spokojnie, jak tylko potrafił. – I po co ci sojusznicy?

Ale Singer jakby go nie słyszał.

– Co? Nie ma sprawiedliwości w tym całym, zrujnowanym, zapomnianym przez Boga świecie? – wykrzykiwał Singer i od razu sobie odpowiadał: – Nie ma! Sam się muszę o nią zatroszczyć!

W spazmie rozpaczy błyskawicznie przyklęknął i schylił się po pistolet, ale nie udało mu się go dosięgnąć. Gdy się pochylił, spojrzał w górę i zobaczył błysk kuli Zacha, uderzającej go prosto w łuk brwiowy. W ułamku sekundy jego przekrwione oczy rozwarły się szeroko, a miejsce wściekłości na jego twarzy zajęło przerażenie. Z głośnym trzaskiem kula wymierzyła cios.

Oparty na zdrowej nodze Zach pochylał się nad nim. Kwadratowa głowa Singera osadzona na czerwonej byczej szyi odskoczyła do tyłu, gdy Zach wyprostował się, kopnął mocno nogą i ustawił się z powrotem. Chwilę później Big Jon Lamon pochylił się i podniósł broń Singera tak lekko, jakby była drewnianą zabawką.

– No, no! – powiedział lider klanu, dokładnie oglądając pistolet i niewinnie wydymając wargi. – Popatrz no tu, Ned. Nie zabezpieczyłeś broni! I z czegoś takiego właśnie biorą się wypadki. Doceniasz chyba moją troskę? I mam nadzieję, że na przyszłość się poprawisz!

Singer siedział na ziemi, opierał się na rękach i potrząsając głową w oszołomieniu, powtarzał:

– Nie zapomnę wam tego! Wszyscy przeciwko mnie, wszyscy! Nawet ty, Big Jon, niby nasz lider! A ty, Zach Slattery, ty, kulawy stary sukinsynu, i twój cholerny syn! I…

– I dosyć! – Zach przysunął się bliżej, patrząc groźnie. – Jeżeli kiedykolwiek usłyszę, że znów nazywasz mnie kulawym albo mojego syna szczeniakiem czy napalonym kundlem, to przywalę ci tak, że zęby wylecą ci tyłem głowy!

– Nie, ojcze – przerwał mu Garth, kiedy naciągnął już spodnie i pomógł wstać Layli. – Nie musisz mnie bronić! Sam się sobą zajmę. A teraz, jak już Ned pokazał, na co go stać, to nie będzie żaden problem.

Singer zdawał się jednak nie słyszeć ani słowa z tych gróźb. Podjął tam, gdzie mu przerwano:

– I co do ciebie – wstał i groźnie popatrzył na Laylę, robiąc krok w jej kierunku. – Tak, ty, mała kurwo… Ja ciebie…

– Ty nic nie zrobisz, Ned – zagrzmiał Big Jon Lamon, nie odgrywając już niewiniątka, ale przemawiając jak wódz, którym zawsze był. – I nie powiesz już ani słowa. – Stanął pomiędzy Nedem a jego niedoszłymi ofiarami. – Ani słowa, bo gwarantuję ci, że gorzko pożałujesz!

W końcu zaczęło wyglądać na to, że Singerowi wraca rozum, a przynajmniej to, co mu z niego zostało.

– Ale ja… ja zalecałem się do tej dziewczyny! – powiedział. Layla poderwała się i wykrzyknęła:

– Do tej małej kurwy, panie Singer? Zalecałeś się? To były zaloty? Przeganiałeś wszystkich ode mnie i rozbierałeś mnie wzrokiem, jak tylko byłam w pobliżu! Snułeś się za mną i dziesiątki razy zapraszałeś do swoich kwater, mimo że za każdym razem odmawiałam! W takim razie muszę panu powiedzieć, że już na sam pana widok robi mi się niedobrze! Każdy inny byłby lepszy! Ale ja wybrałam Gartha Slattery'ego i jeżeli on mnie zechce…

– Bardzo chętnie! – powiedział Garth i przytulił ją. – Zajmę się tobą i cię ochronię. A ty, Ned, posłuchaj: nigdy więcej nawet nie ośmielisz się spojrzeć na Laylę, rozumiesz? Nie próbuj z nią rozmawiać albo źle o niej mówić. Jesteś obleśnym, śmierdzącym kłamcą, Ned. Trzymaj się od nas z daleka!

Dowódca zbieraczy zacisnął tylko pięści i sapnął, ale zanim cokolwiek zdążył powiedzieć czy zrobić, Big Jon poważnie skinął głową i powiedział:

– W takim razie wszystko ustalone. A co do was to w ciągu godziny udzielę wam ślubu, jeśli chcecie, w tym zrujnowanym kościele po drugiej stronie drogi, a wtedy już nikt nie będzie miał nic do powiedzenia. – Potem wyjął magazynek z pistoletu Singera i rzucił broń w jego stronę. Czerwony na twarzy napastnik zdołał ją pochwycić, i w tej samej chwili jego oczy rozbłysły, z ust wydarł się okrzyk, a on sam wycelował w Gartha i Laylę!

To była tylko zwykła groźba, pusty gest, skoro Big Jon Lamon miał magazynek. A może i nie tak całkiem pusty, skoro samo spojrzenie Singera wyrażało zapiekłą nienawiść. Przez kilka długich sekund zastygł w tej pozie, aż wreszcie szyderczo chrząknął i odwrócił się. Wtedy lider klanu zastąpił mu drogę.

– Nigdy nie sądziłem, że nadejdzie taki dzień, Ned. – Big Jon mówił teraz bardzo cicho. – Ale widzę, że muszę cię ostrzec. Jesteś groźnym człowiekiem, łajdakiem, jak nazwał cię obecny tu Garth Slattery, a w klanie są rzeczy, na które mogę pozwolić, i takie, na które nie pozwolę nigdy. Wyczuwam alkohol w twoim oddechu, Ned, i widzę śmierć w twoich oczach, w słowach słyszę groźbę morderstwa. Nic z tego mi się nie podoba, bo to wszystko razem bardzo źle wróży.

– Ha! – wykrztusił z siebie Singer i przesunął się, próbując ominąć lidera klanu, który raz jeszcze zastąpił mu drogę i powiedział:

– Posłuchaj mnie dobrze! – oczy Big Jona zwęziły się, zmarszczył brwi. – Wiem, że Garth Slattery jest członkiem twojej grupy, ale są też inne i łatwo można go przesunąć…

– Mnie na tym nie zależy! – przerwał mu Garth głośno. – Wiemy, co się stało, ale na tym się musi skończyć. Ned Singer jest dobry w tym, co robi, i są rzeczy, których się od niego uczę. Nie musimy się lubić, ale ochranianie konwoju jest teraz najważniejsze i dlatego zrobię wszystko, czego się ode mnie wymaga, nie chowając żadnej urazy. Wszystko, co jest pomiędzy nami, powinno być sprawą prywatną, i na tym koniec.

Lider powoli skinął głową.

– To mi odpowiada. W takim razie niech i tak będzie. – Ale i tak odwrócił się do Singera i powiedział: – Ned, pozwól, że ci przypomnę: klan ma już dość, a nawet bardziej niż dość śmierci, zarówno naturalnej, jak i tej, którą niosą latry. Zdarzały się nawet morderstwa, choć wiele już lat temu, kiedy byłem młody. A jak sobie z tym poradziliśmy? O ile mnie pamięć nie myli, zabrano zabójcę na powierzchnię skażonej ziemi i zostawiono go tam własnemu losowi…

Zapadła długa cisza i Singer zapytał:

– A co to ma wspólnego ze mną?

Ale Big Jon potrząsnął głową.

– Skądże, pewnie, że nic – powiedział. – Mam nadzieję, że nic! To było tylko przypomnienie… że między tym, co tutaj, a naszym celem, o ile w ogóle kiedyś do niego dotrzemy, są ogromne przestrzenie skażonej ziemi. – A wtedy cofnął się o krok i dodał: – Teraz możesz odejść.

Jednak gdy tylko Singer się poruszył, lider znów go zatrzymał. Odezwał się o wiele pogodniejszym tonem, jakby wrócił do swojego naturalnego sposobu mówienia, i raz jeszcze rzekł z niewinnym uśmiechem:

– A prawda, Ned, to całkiem przyzwoity łup, i wszyscy w klanie będą ci wdzięczni. Nigdy za dużo zapasów lekarstw!

– Jakich lekarstw? – Singer zmarszczył brwi. Ale po chwili szczęka opadła mu nieco, gdy tylko zrozumiał, co Big Jon miał na myśli…

6

Na zewnątrz dawnego parkingu niebo pokryło się chmurami.

– Oboje jesteście pewni i zdecydowani? – zapytał Gartha i Laylę Big Jon Lamon, kiedy dotarli do wyjścia. – Jeżeli nie, teraz to najlepszy moment, żeby się przyznać. Ostygły już trochę emocje, a kiedy ludzie są pod presją, łatwo się pomylić, a o wiele trudniej te pomyłki naprawić.

Para spojrzała na siebie, Garth uśmiechnął się serdecznie, a Layla tylko skinęła głową i powiedziała:

– Jesteśmy pewni.

Garth dodał z głośnym westchnieniem:

– Och tak. Jesteśmy pewni. Myślę, że jesteśmy pewni już od dłuższego czasu, ale zawsze coś nam wchodziło w paradę.

– Coś takiego jak Ned Singer?

– Właśnie tak. Singer, ale też różne inne rzeczy.

Big Jon pokiwał głową.

– Tak, to był bardzo trudny czas, a przed nami prawdopodobnie jeszcze trudniejszy. Ale razem stawicie mu czoła, prawda?

– Prawda – odpowiedział Garth, ale nie udało mu się ukryć przed liderem klanu, że nagle posmutniał.

– Coś nie tak?

– Nie, wszystko w porządku – odpowiedział Garth i ruszyli przez gruzowisko w stronę zrujnowanego kościoła. – To tylko ten Ned Singer. Zawsze jest niemiły, ale tym razem…

– Tym razem pokrzyżowaliśmy mu szyki – przerwał Zach. – Przegrał, wyszedł na głupka i niespecjalnie mu się to spodobało. Ale trochę go usadziliśmy, więc może na przyszłość będzie mądrzejszy.

– Mam nadzieję, że będzie – powiedział lider. – Poza tym był pijany. Właśnie dlatego był gorszy niż zwykle. – Uśmiechnął się wilczym, szerokim uśmiechem. – Ned jutro obudzi się z trochę poobijanym ego, podobnie poobijanym czołem, a do tego z ogólnym bólem głowy, który dobrze mu zrobi. A co tego alkoholu, który znalazł...

– Miał pięć butelek! – powiedział technik Andrew Fielding.

– Big Jon i ja, razem byliśmy przy studni tam, gdzie kiedyś był ogród, przed tym starym kościołem, kiedy zobaczyliśmy jednego z ludzi Neda...

– To był Dan Coulter – potwierdził Big Jon, kiwając głową. A Fielding kontynuował:

– Zataczał się w swoim ubraniu ochronnym, jakby go ktoś pobił! Przez chwilę byliśmy zaniepokojeni, aż zorientowaliśmy się, że w ręce ma butelkę.

Big Jon znów uśmiechnął się jak wilk i kiwnął głową:

– Tak jest, jak już zamieniliśmy słówko z Danem, nie tylko, hm, ocaliliśmy jego łup, ale także Pedera Halbsteina i Neda Singera! W sumie dwanaście butelek. Byłoby trzynaście, ale jedna się stłukła. Jak mówią, to nieszczęśliwa liczba dla niektórych, a już na pewno dla tych cholernych kretynów! Ten alkohol mógłby równie dobrze być zepsuty, skażony czymś innym niż właśnie alkoholem, albo i jeszcze gorzej.

– Nie, to jest według mnie nieprawdopodobne – powiedział główny technik z wyraźnym podnieceniem w głosie, nagle pobudzony, jak gdyby przypomniało mu się coś ważnego. I tak właśnie było.

– Och! – Big Jon zmarszczył brwi.

– Dobrze, właśnie to miałem ci powiedzieć przy tamtej starej studni! Przeprowadziłem test promieniowania na wodzie, kiedy wpadliśmy na siebie i zobaczyliśmy zataczającego się Dana Coultera. Idąc za nim, a bardzo się spieszyłeś, żeby, jak to było... uratować ten trunek, który zresztą dla dobra klanu powinien zostać wszystkim rozdany, zapomniałem o tym, byliśmy w końcu zajęci i tyle się wydarzyło. W każdym razie studnia jest bardzo głęboka, a jej woda wydaje się dość czysta i chyba nawet nadaje się do picia!

Wszyscy natychmiast się zatrzymali, a Zach Slattery i Big Jon wykrzyknęli razem:

– Czysta? – i popatrzyli na Fieldinga, jakby znienacka wyrosły mu dwie głowy.

Wtedy Big Jon chwycił go i przyciągnął do siebie, a potem zapytał:

– Czysta? I zdatna do picia? Masz pewnie popsute przyrządy, co, Andrew?

– Właśnie nie – odparł Fielding, mrugając szybko i próbując wyswobodzić się z uścisku lidera. – Moje instrumenty są w dobrym stanie, tak samo woda… no prawie.

– Prawie? – powtórzył Big Jon, mrużąc oczy. – Jak to prawie?

– A więc – jego rozmówca wzruszył ramionami – wtórne promieniowanie jest trochę za wysokie, ale to tyle… chyba że to nie do końca wszystko. Spójrzcie, ten cały obszar, przynajmniej te pół tuzina miejsc, które sprawdziłem, wskazuje tylko ułamek promieniowania szczątkowego, jakiego można by się spodziewać. To najczystsze miejsce, w jakim się znaleźliśmy od czasu opuszczenia Southern Refuge!

Wszystkim opadły szczęki, nie tylko liderowi klanu.

– Chcesz powiedzieć, że możemy z tej studni spokojnie pić, że to dobra woda? – upewnił się Zach.

– I że możemy uzupełnić cysternę? – dodał Big Jon. – Chodzi mi o to, że Bóg jeden wie, jak bardzo nam to potrzebne! Jak sprawdzałem ostatnio, poziom wody sięgał jednej trzeciej!

– I możemy się umyć? – westchnęła Layla. – I gotować, i może nawet coś wyprać?

Główny technik aż się zaśmiał, cały podekscytowany, i aż zatańczył w miejscu, kiedy Big Jon go wreszcie wypuścił.

– To jak to? – zapytał Laylę. – Chcesz się tylko umyć? Dziewczyno, tu w tej studni jest dziesięć metrów wody albo i więcej, więc możesz się nawet wykąpać, jeżeli tylko masz ochotę!

Lider klanu wybuchnął głośnym śmiechem i z trudem powstrzymał się, żeby nie dołączyć do technika w jego tańcu… Aż nagle zatrzymał się i powiedział:

– Ale jak to? Musisz mi to wyjaśnić, Andrew, bo nic nie rozumiem.

Kiedy z nową energią ruszyli znów w drogę do kościoła, Fielding powiedział:

– Dobrze, rzeczywiście mogę to zrozumieć. Tylko popatrzcie wokoło i powiedzcie mi, czy widzicie jakieś oznaki przerażającego gorąca, stopionego szkła czy metalu, a może tumany kurzu? Nie, nie ma nic podobnego. Kilka spalonych budynków, ale nic specjalnego poza tym. Ślady bombardowania i wybuchów, nie ma co do tego wątpliwości: pokruszony gruz i całkiem sporo kraterów to tu, to tam. Ale ślady ataku jądrowego? Ani jednego. Oczywiście, to miejsce zostało kiedyś zbombardowane, ale nie sądzę, żeby była to bomba atomowa. I… och, sam nie wiem, miało może po prostu tyle szczęścia, że leżało poza strefą opadu radioaktywnego, a może przez wszystkie te dziesięciolecia natura i pogoda współpracowały razem, aby oczyścić to miejsce. Przebiega to czasem całkiem szybko. Pierwsza bomba nuklearna zniszczyła całe miasto, a ci, co przeżyli, natychmiast je odbudowali!

– Czytałem coś o tym – powiedział Garth – w książce w bibliotece w Southern Refuge. Ale za pierwszym razem to była tylko jedna bomba, a może dwie?

– Racja, Garth – powiedział lider. – A teraz były ich dziesiątki, może setki! W każdym razie wystarczająco dużo, żeby wywołać tak zwaną „jądrową zimę", a kto wie, jakie jeszcze były konsekwencje…

– Wpół martwa planeta, takie właśnie konsekwencje! – powiedział Zach, spluwając na ziemię. – Nie mówiąc już o latrach!

Gdy zbliżyli się do otoczonego murem ogrodu zburzonego kościoła, gdzie leżała rozbita na bloki roztrzaskana strzelista wieża, Andrew Fielding zatrzymał się. Marszcząc brwi, zmrużył oczy i wzniósł je do góry w stronę powoli dryfującej po niebie pokrywy chmur. Mrucząc cicho do siebie, powiedział:

– A jeszcze i to, to światło słońca… też nie wiadomo, o co z nim chodzi. – Potrząsnął głową i twarz jego przybrała zdumiony wyraz. Ale lider klanu usłyszał te ciche uwagi, skierowane do samego siebie.

– Co mówisz? – Big Jon schwycił rękę Fieldinga. – O co chodzi z tym światłem słońca? Coś cię jeszcze zastanowiło? A może zmartwiło?

Nerwowy mały człowiek mrugnął, zadrżał i z powrotem wrócił na ziemię.

– Hmm? Coś mnie zastanowiło? – powtórzył za Big Jonem.
– No więc tak, na pewno muszę się zastanowić. Ale czy jest się czym martwić? Wręcz przeciwnie!
– W takim razie o co chodzi? – niecierpliwość lidera wzrastała.

Cała pięcioosobowa grupa przedzierała się przez zarośnięty, zasypany gruzem obszar w stronę odsłoniętej studni, której zadaszenie straciło już prawie wszystkie dachówki. Szef techników wyjaśniał po drodze tę nową zagadkę:

– Nawet kiedy na jasnym, błękitnym niebie jest słońce, jak było przed chwilą, to nie ma to wielkiego wpływu na poziom promieniowania. W takim razie może to znaczyć, że... że...

Ale kiedy dotarli do studni, zatrzymał się i jeszcze raz potrząsnął niepewnie głową.

– No mówże dalej – nie wytrzymał Big Jon. – Powiedzże to wreszcie!

Fielding skinął głową, wzruszył przepraszająco ramionami i powiedział:

– Tak, oczywiście, i raz jeszcze przepraszam, jeżeli moje wytłumaczenie nie będzie słuszne. Ale jak wiesz, jesteśmy w drodze na północ już od jakichś dwóch miesięcy, przemierzając często przez jedną noc zaledwie cztery albo najwyżej pięć mil, czasem w niewłaściwym kierunku, kiedy wymuszają to okropne warunki: kwaśne jeziora, wąwozy, rozpadliny i inne przeszkody, jak jakaś podejrzana albo nieprzejezdna wioska na drodze, co często zmusza do niekończącego się zawracania.

– To prawda – Big Jon pokiwał ponuro głową. – A w zeszłym tygodniu zaczęło nam brakować nie tylko wody, ale także paliwa. Nie chciałem wypuszczać się na poszukiwania skażonych zapasów w podejrzanych miastach, które mijaliśmy, ale niedługo będę do tego zmuszony. Bez tego będziemy mieć poważny kłopot, utkniemy gdzieś, skąd nie damy rady się wydostać.

Fielding przytaknął:

– Ale jeżeli możemy tutaj znaleźć coś więcej, to może również dobrze być tak samo czyste, jak ta woda! I popatrzcie tylko!

– Wyjął cynowy kubek z torby wiszącej mu na ramieniu, napełnił go wodą z zardzewiałego wiadra stojącego na ukruszonym ocembrowaniu studni i powiedział: – To stąd wziąłem próbkę wody. – Nie czekając dłużej, opróżnił kubek do dna, cmoknął głośno wargami, a potem poklepał torbę z cenną zawartością: wszystkimi swoimi narzędziami. – Teraz sami widzicie, jak ufam swoim pomiarom!

– Jesteś całkowicie pewien, że masz rację? – Lider klanu sięgnął po kubek Fieldinga.

– Całkowicie, i jaka słodka ta woda!

Grupka ludzi patrzyła na nich z cienistego wnętrza roztrzaskanego kościoła. Teraz, początkowo ostrożnie, wyszli na otwartą przestrzeń. Ale jak Big Jon i jego towarzysze zaczęli pić na zmianę, ludzie popatrzyli po sobie i przyspieszyli, przechodząc prawie do biegu.

Odsuwając się od studni w kierunku kościoła ze swoją grupą, Big Jon zawołał:

– Każdy może się napić! Woda jest dobra! Możecie też napełnić swoje własne pojemniki. Potem będę potrzebował kierowcy cysterny i ochotników do pracy. A, i jeszcze pomywaczki, słyszycie mnie? Wasze kotły za bardzo już wyschły, pora rozpalić pod nimi ogień! Potrzebuję też ekipy zbieraczy, najlepiej trzeźwych! Ludzie, mamy teraz szansę poszukać paliwa i uzupełnić kanistry. Co więcej, jak mi powiedziano, nie musimy bać się światła słonecznego! Czy to nie są dobre wiadomości? Więc nie marnujmy więcej czasu, ale bierzmy się do roboty, co nie?

A wokół zaroiło się nagle, aż wreszcie lider zwrócił się do swojego szefa techników:

– No tak, Andrew. Co do tej ostatniej sprawy, wydaje mi się, że miałeś mi cos właśnie powiedzieć?

Andrew prychnął z irytacją jak czajnik za długo trzymany na ogniu, wykazując więcej ożywienia, niż Big Jon kiedykolwiek u niego widział.

– A owszem, próbowałem ci coś powiedzieć, i zrobiłbym to, gdybyś tylko na chwilę się zatrzymał i posłuchał!

– Dobrze, mów – powiedział Big Jon i wszedł do kuszącego chłodnym mrokiem wnętrza kościoła. Inni poszli za nim, a potem zatrzymali się, żeby wysłuchać wyjaśnień Fieldinga.

– Myślę – zaczął niepewnie – myślę, że to może mieć związek z warstwą ozonową. Jakieś mniej więcej siedem mil nad nami, ale rozciąga się znacznie wyżej, jest warstwa gazów tak ułożona, że zatrzymuje niebezpieczne promieniowanie ultrafioletowe. Dawno temu, przed wojną, warstwa była gruba... to według pierwszych techników w Southern Refuge, których zapiski się zachowały, a których słowa potwierdzają następstwa wojny pogarszające warunki życia w świecie zewnętrznym. To część i efekt jądrowej zimy, która nie tylko uszkodziła powietrze wewnątrz atmosfery, ale też jej zewnętrzną część, zwłaszcza warstwę ozonową, która już od niezliczonych dziesięcioleci cierpiała z powodu zanieczyszczenia zawinionego przez człowieka i jego toksyczne działania związane z przygotowaniem do wojny. Ale od tego czasu poza garstką ludzi chroniących się w podziemnych korytarzach, bez zakładów przemysłowych na powierzchni, atmosfera ziemi mogła zacząć się sama poprawiać. Tak właśnie mogło się zdarzyć, i im dalej przesuniemy się na północ, tym mniej szkodliwe dla nas będzie promieniowanie słoneczne!

– Sądzę, że masz rację – odezwał się głośno Zach. – To wyjaśniałoby, dlaczego tyle czasu trwało, zanim zaatakowane przez naszych latry wreszcie padły. Widzicie, przyglądałem się im i zauważyłem, że choć słońce w końcu je spaliło, to trwało prawie dwa razy dłużej, niż powinno! – Zwrócił się do lidera: – Zgadzasz się ze mną, Jon? Przecież w swoim czasie na południu wystarczająco dużo tych paskud razem zagnaliśmy prosto do światła słonecznego!

– Rzeczywiście – Big Jon przytaknął. – I na Boga, czy wtedy nie płonęły w mgnieniu oka? Tak przecież było!

Oddychał głęboko i jakby urósł. Rozkładając szeroko ręce, zakrzyknął:

– Czuję się odrodzony, ożywiony, zmartwychwstały! Mamy wodę, i teraz jeszcze ten ozon, możemy bez ochrony wyjść na światło słońca i być może nawet podróżować za dnia, choć pewnie będziemy się musieli do tego przyzwyczaić. Może wreszcie wszystko będzie dobrze! Jestem tego pewien. Mamy jeszcze tyle do zrobienia!

Ale gdy tylko się obrócił i ruszył na zewnątrz, Garth szybko schwycił jego rękę i powiedział:

– Panie, Big Jonie! Proszę, nie odchodź i nie zapominaj o nas!

– Co? – zapytał zdezorientowany, a potem uśmiechnął się i przytulił mocno Gartha i Laylę do piersi. – Pewnie, że nie zapomnę! – powiedział, wypuszczając ich. – Wymarzony czas na ślub, prawda? Właśnie teraz, kiedy przyszłość zaczyna wyglądać tak obiecująco? – I raz jeszcze odwrócił się, jakby miał odejść.

– Sir! – krzyknął Garth, poważnie teraz zaniepokojony. Ale Big Jon odwrócił się z głośnym śmiechem:

– Niech wam już będzie! Ogłaszam was mężem i żoną! Pocałuj teraz dziewczynę, należy jej się. W końcu jest teraz twoja, tak jak powinno być!

I wtedy Garth to zrobił, bo tak rzeczywiście powinno być.

* * *

Przez trzy kolejne dni klan pozostał w zburzonym mieście. Czwartej nocy znalazły ich latry, a było ich już znacznie więcej. Któż mógł powiedzieć, skąd się wzięły? Może z jakichś odległych ruin. A intensywny zapach człowieka był dla latrów pokusą, której nie mogły się oprzeć.

Tymczasem cysternę napełniono wodą, a studnia napełniła się sama. Ponadto zespół zbieraczy Neda Singera, w tym także Garth Slattery, znalazł podziemne zbiorniki benzyny, które cudem przetrwały bombardowania i wszystkie późniejsze lata. Mimo że paliwo uległo degradacji, a pomiary Andrew Fieldinga wskazywały, że poziom promieniowania jest tuż poniżej akceptowalnej granicy, to w dalszym ciągu było to lepsze niż nic. Klan filtrował je ostrożnie do pojemników i do spragnionych zbiorników swoich pojazdów. Choć silniki mogły się dławić i dymić, gasnąc ze względu na zanieczyszczenia, to i tak były w stanie pracować.

Co do latrów, Big Jon zarządził, żeby wystawić nocą uzbrojone warty. Na mniej więcej godzinę przed świtem czwartej nocy Garth służył w dziewięcioosobowym oddziale pod dowództwem Neda Singera, który pilnował doskonale widocznych części parkingu. Pomagali sobie ogniskami rozpalonymi tam, gdzie tylko to było możliwe. Jednak zdarzyło się, zapewne przez przypadek, że posterunek Gartha był najbardziej oddalony od pozostałych...

Lider wyznaczył najlepsze, najbardziej godne zaufania drużyny zbieraczy do tego zadania, a ochroną parkingu mieli się zająć najlepsi z najlepszych, bo tam spała większość ludzi. Sam Ned Singer nie miał przydzielonego żadnego stanowiska, ale nieustannie krążył między swoimi ludźmi, aby ich pilnować, czyli czuwać, aby byli przytomni i uważni.

Tak właśnie miały się sprawy, kiedy Singer po raz trzeci lub czwarty tej nocy podszedł cicho do Gartha, który siedział niewygodnie na stosie cegieł za niską, szeroką barykadą usypaną z gruzu. Jego przenikliwe oczy sondowały rozciągające się przed nim rumowisko, a lufa karabinu tkwiła w prześwicie barykady.

Podczas poprzednich odwiedzin Singer nie był tak cicho, zawsze gwizdał kilka niskich nut, powiadamiając Gartha o swojej obecności. Tym razem jednak chłopiec zdał sobie z niej sprawę dopiero wtedy, gdy ciężka ręka dowódcy opadła na jego ramię, a Singer przyklęknął obok niego i powiedział:

– No tak, uczniaku, niezły początek. Wydaje ci się, że ja jestem cicho, a co z latrami? Potrafią wyłonić się z ciemności jak duchy! Więc musisz być świadomy, co się dzieje dokoła, z tyłu i z przodu!

– Szlag by to trafił! – zaklął Garth, choć przeklinanie i wyzwiska nie leżały w jego naturze. Strząsnął z ramienia dłoń Singera. – Rzeczywiście niezły początek! Ale mogłem się wystraszyć i strzelić, i co wtedy?

– Wtedy wyszedłbyś na prawdziwego idiotę, który budzi wszystkich w środku nocy, co nie? – Singer zachichotał nieprzyjemnie, ale za chwilę znów był poważny. – Tylko że nie sądziłem, że jestem aż tak cicho. Ale czekaj, nie słyszałeś, jak gwiżdżę?

– Nie słyszałem żadnego gwizdu – powiedział Garth, pewien, że niczego takiego nie było. – Nie usłyszałem niczego, nie tym razem.

– Och, naprawdę? – zapytał jego rozmówca, podnosząc się z ziemi. – Wiem, że nie jesteś głuchy. Ale może trochę zmęczony? Za mało ostatnio śpisz? Inne sprawy zaprzątają twój umysł, co?

Zbyt dużo myślisz o tym, co… no, tam pod kołdrą, co nie? Za dużo roboty? Może ci pomóc?

Sens słów Singera był oczywisty i Garth zareagował dokładnie tak, jak jego prześladowca się spodziewał. Rzuciwszy karabin pod ścianę barykady i zerwawszy się z niewygodnej pozycji tak szybko, jak pozwoliły mu na to zdrętwiałe kończyny, Garth rzucił się na dowódcę z pięściami. Ale oczywiście Singer był na to przygotowany. Bez trudu uchylił się przed atakiem Gartha i z całej siły wbił mu drewnianą kolbę strzelby w brzuch, a gdy Garth zgiął się w pół, przyłożył mu jeszcze w podbródek.

Ten cios był lekki i tylko zadrasnął Gartha tuż obok lewego ucha, ale sprawił, że zaatakowany stracił równowagę i wywrócił się prosto na gruzowisko. Wtedy Singer wyprostował się i uniósł do góry kolbę karabinu, żeby tym razem uderzyć mocno w twarz, ale do tego nie doszło!

W tym właśnie momencie, gdy Garth runął na rozbite cegły, całkiem blisko rozległy się krzyki, które wyraźnie niosły się w czystym nocnym powietrzu… chwilę później powietrze to wypełniły przenikliwe gwizdy, a potem wystrzały, całe mnóstwo wystrzałów!

Rozdarty na trzy strony między zemstą, obowiązkiem i obawą o własne życie Singer stał bez ruchu z karabinem wzniesionym jak ogromny młot, mamrocząc do siebie: „A niech to jasna cholera!". A kiedy Garth się pozbierał, napastnik odwrócił się i jego ciemna sylwetka błyskawicznie zniknęła w ciemnościach, tuż po tym, jak ostatni raz obejrzał się za siebie.

Oszołomiony i wściekły, potykając się niezgrabnie o własne nogi, Garth myślał początkowo tylko o tym, żeby pogonić za dręczycielem i zemścić się na nim. Ale karabiny automatyczne strzelały niemal nieprzerwanie, a do odgłosów pojedynczych wystrzałów i gwałtownych świstów wybuchów dołączył jeszcze rozdzierający dźwięk ludzkich głosów, wrzeszczących z całych sił.

Włosy Gartha stanęły dęba. Layla była tam z tyłu, na parkingu, niecałe pięćdziesiąt metrów stąd! Musiała się już obudzić, kryła się pewnie w ich cienkiej pościeli, oszalała ze strachu, nie tylko o samą siebie, ale i o Gartha, a on stał tutaj i wpatrywał się w pustkę, słuchał salw wystrzałów, ochrypłych okrzyków wojennych i wrzasków przerażonych ludzi.

Co robić?

Jak Ned Singer, ale też i całkiem inaczej niż on, bo nie myślał wcale o własnym bezpieczeństwie, poczuł, że musi się spieszyć i z powrotem pobiec do Layli. Ale nie, przecież mogli zostać zaatakowani z kilku stron. Na pewno tak właśnie było, zapowiadała się bitwa, jakiej Garth nigdy przedtem nie doświadczył, pełna grozy i chaosu! I rzecz jasna mógł zrobić tylko jedno: dowieść swojej wierności klanowi. Mogło go to doprowadzać do szału, ale i tak po dwóch czy trzech sekundach wahania zawrócił.

– W samą porę!

Bo tak jak powiedział w proroczym natchnieniu Singer, z ciemności wyłoniło się właśnie stado wychudzonych duchów unoszących się w zupełnej ciszy. Były cztery, straszny kwartet latrów, których oczy świeciły się jak płonąca siarka. Nadciągały szybko, falą przenikającą ponad, albo jak zdawało się Garthowi, poprzez sięgającą do kostek warstwę mgły, która pojawiła się znikąd.

Tym razem broń Gartha była odbezpieczona. Choć nadal był trochę oszołomiony, wziął na cel najbliższego potwora i szybko nacisnął spust. Miał szczęście. Trafił w jedno z jarzących się oczu, a głowa latra rozprysła się na miazgę. Nieumarły potwór natychmiast zatrzymał się w locie, wyrzucił w górę ramiona i runął w dół prosto w mgłę i gruz.

Nadciągały teraz pozostałe i były o wiele za blisko. Garth miał usta suche jak popiół, kiedy zobaczył, jak się rozdzielają, żeby utrudnić zadanie obrońcom. Znów się przymierzył, celując tym razem w środek tumanu kurzu, którym się wydawały, niczym bezcielesne zjawy, choć przecież były jak najbardziej realne i przynajmniej w jakimś stopniu cielesne! Ale Garth opanował swoje przerażenie, skoncentrował się, uspokoił drżenie ręki i palca położonego na spuście, żeby jak najspokojniej i najdokładniej wystrzelić.

Jednak teraz latry wiedziały, gdzie się ukrył, i zaczęły przemieszczać się z lewej strony na prawą, przesuwając się niczym dym i szybko zmniejszając odległość między sobą a upatrzoną przez siebie ofiarą. Strzał Gartha dosięgnął potwora w ramię, ale nie była to w żadnym razie rana śmiertelna. Ramię stwora nagle opadło, a jego ręka zaczęła bezwładnie powiewać, lecz druga, niewiarygodnie długa, ręka pozostawała wyciągnięta z przodu jak wcześniej, z zakrzywionymi szponami, sięgającymi zachłannie po zdobycz. A ta twarz…!

Ale Garth wiedział, że nie wolno mu patrzeć w twarz latra, była ona dla niego zaledwie tłem, na którym szukał celu przed naciśnięciem spustu. Tym razem strzelił czysto, napastnik wydał z siebie cichy jęk lub westchnienie, jakby wiedział, że nadszedł jego koniec, i w tej samej sekundzie jego twarz rozpadła się na kawałki.

Krzyk Gartha, pełen jednocześnie triumfu i przerażenia, zabrzmiał sucho, gdy chłopiec próbował wyrwać swój karabin z otworu barykady. Ale ku jego zdumienia nie miał na tyle siły! Przerażenie go nie zabiło, ale osłabiło bardzo poważnie.

Tymczasem dwa pozostałe latry leciały prosto na niego, trzepocąc szmatami i długimi włosami, w ciemności płonęły ich oczy, a zaślinione szczęki przeżuwały coś bezmyślnie. Potwory przepływały ponad prowizoryczną barykadą prawie jak nad kłębiącą się tuż przy ziemi mgłą. Najbliższy z nich był na wprost Gartha, który czuł jego oddech na swojej twarzy. Szpony wyciągały się już po cegły, szukając odpowiedniej do zadania ciosu. Musiał się tylko odblokować, obudzić z tego hipnotyzującego koszmaru i nacisnąć spust… Zrobił to w ostatniej sekundzie. Trafił latra prosto w chudziutką szyję, odstrzeliwując mu głowę!

Ale kątem oka zauważył ostatniego z tego kwartetu, jak unosi się w powietrzu, piszcząc z szaleńczej wściekłości. Mordercza zjawa, która leciała wprost na niego opętana żądzą zemsty. A kolba jego karabinu utknęła pod zwłokami latra, którego przed chwilą zabił!

Skonsternowany Garth jęknął i szarpnął głową, kiedy dźgnęły go szpony stwora. W tym samym momencie zabrzmiał ogłuszający wybuch, a jego napastnik został odrzucony do tyłu na barykadę niczym kupa szmat. Potem zaczął syczeć i skrzeczeć, starając się wyprostować chude kolana, ale przerwał. Drugi wybuch uciszył latra zupełnie, zrzucając go z barykady w dół, poza zasięgiem wzroku.

Ale ten dźwięk, te wybuchy… Garth rozpoznał je od razu. To był ogłuszający huk dubeltówki jego ojca! I rzeczywiście, Zach Slattery stał tam z dymiącą bronią, a jego usta miotały nieme przekleństwa. Najpiękniejszy widok na świecie!

Zanim Garth był w stanie się odezwać, ojciec raz jeszcze przechylił się przez barykadę i ostatni raz rozległ się huk wystrzału, po którym nie było już słychać żadnego kwilenia ani skrzeczenia.

Zach wrócił, ojciec i syn przypadli do siebie i zamarli w uścisku.

– Słuchaj! – powiedział wtedy Zach, odsunąwszy się w bok. Ale z niedaleka dobiegał tylko dźwięk sporadycznych wystrzałów, krzyki ludzi były wyraźniejsze, a zarazem mniej przeraźliwe.

– Już po wszystkim – orzekł Zach. – Przynajmniej na razie już po wszystkim.

– Gdybyś nie przyszedł… – zaczął Garth.

– Ale przyszedłem – uciszył go Zach. – Nie mogłem spać, chodziłem tam i z powrotem, kiedy zabrzmiał pierwszy alarm. Wiedziałem, gdzie cię ustawił Ned Singer, i przyszedłem tak szybko, jak tylko mogłem. Twoja młoda żona nie może tak od razu zostać wdową! Z tego, jak brzmiały ostrzegawcze gwizdy, domyśliłem się, latry muszą atakować ze wszystkich stron, także z twojej. Okazuje się, że miałem rację.

– Zabiłem trzy – powiedział Garth i nagle zadrżał. – Ale ten czwarty… to on prawie zabił mnie! – Obrócił się, chwycił karabin, wyszarpując go spod zwłok latra. Tym razem poszło mu całkiem łatwo, ponieważ wróciły mu siły. Potrzasnąwszy głową, powiedział: – Ja… nigdy nie byłem tak przestraszony, tak słaby!

Ale Zach powiedział tylko:

– A ja nigdy nie widziałem, żebyś był taki silny! Spójrz teraz, wkrótce nadejdzie świt. Niebo zaczyna się od góry przejaśniać. Jeżeli jakieś latry przeżyły, muszą się już zbierać do odlotu w stronę swoich grzęd. Myślę, że możesz już bezpiecznie wrócić do środka, znaleźć Laylę i ją uspokoić. Potem może zorientujemy się, jakie ponieśliśmy straty. Ale coś mi mówi, że cholernie dużo dobrych ludzi straciliśmy tej nocy…

7

Istotnie, stracili wielu ludzi, a większość z nich to byli ludzie naprawdę dobrzy. Stracili też Neda Singera.

Kiedy wzeszło słońce, Big Jon zwołał w kościele spotkanie głów poszczególnych rodzin i szefów gildii rzemieślników. Uważał, że istnieje konieczność takiego zgromadzenia, bo wielu jego członków spełniało ważne zadania, do których doszedł teraz obowiązek budowy stosów pogrzebowych. Na spotkaniu znaleźli się też świadkowie: dwunastu ocalałych z szesnastu, którzy pełnili wartę. To jeden z nich powiedział, że Ned Singer został porwany.

– Ale jak to… porwany? – powtórzył Big Jon. – Mówisz, że Ned wpadł w ich szpony żywy?

Nadal wstrząśnięty Peder Halbstein odpowiedział kiwnięciem głowy i zadrżał.

– Na to wyglądało, przynajmniej tak mi się wydaje. Ale wszystko wydarzyło się tak szybko, że już nie jestem pewien… wydaje mi się, że widziałem, jak latry go ciągnęły, a Ned był żywy, wrzeszczał z całych sił. Tak właśnie musiało być, ponieważ… no cóż, nie ma po nim śladu, prawda? W każdym razie pozwólcie mi to opowiedzieć swoimi słowami…

Byłem na warcie razem z Danem Coulterem. Staliśmy w pół drogi między kościołem a parkingiem, na wschodniej flance. Mówię teraz, że byłem z Danem, ale naprawdę byliśmy rozdzieleni, chociaż dzieliło nas nie więcej niż czterdzieści kroków, a to znaczy, że wyraźnie widzieliśmy sygnały latarki tego drugiego.

W tym momencie Halbstein przerwał, a Zach Slattery powiedział:

– Mieliście latarki, obaj? A także gwizdki? A przecież Garth nie miał niczego, co by mu pomogło pełnić służbę, o czym się przekonałem, jak dotarłem do niego, jak usłyszałem alarm. Poza tym był sam, jak obolały palec, na tych południowych, najdalszych obrzeżach! Jeśli ktoś zasługiwał na kompana i odpowiedni sprzęt, to właśnie on!

– Ned Singer powiedział, że nie ma sensu dawać mi latarki, bo miedzy mną a innymi znajdowały się przeszkody – wyjaśnił Garth. – Mogłem sobie dawać sygnały ile wlezie, a i tak nikt by ich nie widział.

– A gwizdek? spytał Big Jon.

Czując się łatwowiernym głupcem, Garth odpowiedział:

– Ned powiedział mi, że rozdał wszystkie, został tylko jeden dla niego. Odpuściłem, bo mieliśmy swoje zatargi i nie chciałem niczym ryzykować. Przynajmniej mój karabin. Mogłem zawsze w razie konieczności przywołać kogoś strzałem ostrzegawczym.

– Co za łajdak – wymruczał pod nosem Zach. – Naprawdę cud, że pozwolił ci zatrzymać twój własny karabin! A przecież nie tylko twoje życie narażał!

Big Jon usłyszał go i szybko powiedział:

– Spokojnie, Zach, stary druhu. Miałeś problemy z Nedem Singerem, tak jak i twój chłopak, ale nic dobrego nie wynika z mówienia źle o umarłych.

Oczy Zacha zwęziły się i przez moment się wydawało, że coś odpowie. Powstrzymał się jednak i zachował spokój. A Big Jon znowu się zwrócił do Pedera Halbsteina:

– A więc ty i Dan Coulter pełniliście wartę blisko siebie, widzieliście się nawet mimo ciemności?

– Tak, a później… później byliśmy jeszcze bliżej! – Wtedy, jak gdyby próbując obronić to stwierdzenie, Halbstein podniósł rękę. – Ale pozwólcie mi wyjaśnić:

O 3:30 skończyły się mi baterie, a wtedy Dan był już przyzwyczajony, że błyskam mu na zielono, bo dawaliśmy sobie znaki co kilka minut. A wtedy, jak przestałem sygnalizować, zapewne pomyślał, że zasnąłem, i przyszedł mnie obudzić, zanim nadejdzie następny patrol Neda. Ale gdy Dan się przekonał, że nie śpię, zaczęliśmy rozmawiać, bardzo cicho rzecz jasna, a to, że dotrzymywaliśmy sobie towarzystwa, niosło pewną pociechę, co jest przecież zupełnie naturalne?

– Coulter opuścił swój posterunek! – warknął Big Jon.

– To nie tak! – pospiesznie zaprzeczył Halbstein. – Zamierzaliśmy zostać razem tylko na minutę czy dwie, a przy okazji dostałem od Dana zapasową baterię. Zrobiłbym dla niego to samo, poszedłbym do niego, gdybym uznał, że ma jakieś kłopoty! On tylko się o mnie martwił! – pokrzykiwał Halbstein, wciąż wyraźnie wstrząśnięty.

Na to lider klanu chrząknął z dezaprobatą, ale natychmiast ustąpił.

– Bardzo dobrze, rozumiemy, mów więc, co dalej!

– Tak, tak – powiedział Halbstein, uspokoiwszy się trochę. – No więc Dan miał już wrócić na posterunek, kiedy usłyszeliśmy pierwsze gwizdy, a w chwilę później strzały. Stanęliśmy jak wmurowani i patrzyliśmy w nocny mrok nad pokrytą mgłą ziemią. Byliśmy zasłonięci przez zburzony mur, ale mało co było widać na zewnątrz. Za dużo było kamieni i wszędzie były jakieś cienie. Dan poszedł na prawo, co zresztą w dużej mierze pokrywało się z wyznaczonym mu rewirem. Ja poszedłem na lewo, bo taki też miałem przydział.

Na początku nic się nie działo, było tylko coraz lepiej słychać odgłosy walki: gwizdy, wystrzały, krzyki, huk granatu, a nawet syczący ryk miotacza ognia! Ale w naszym obwodzie nie działo się nic, w każdym razie nie z początku.

Dan powiedział, że może powinniśmy iść tamtym na pomoc, ale ja go przekonałem, że nie możemy zostawić naszych posterunków, że sądząc po odgłosach, zaatakował nas rój latrów, które mogły przylecieć także do nas. I dokładnie w tym momencie nadleciały. Było ich osiem albo dziewięć, pojawiły się znikąd jak kolumny mgły prosto z ciemności na horyzoncie.

Z początku stały tam po prostu, zupełnie bez ruchu, w kompletnej ciszy, i tylko na nas patrzyły! Wtedy też przyszedł Ned Singer. Zaczął biec i wykrzykiwać instrukcje:

– Wyjdźcie zza tej ściany! – nakazał nam. – Te latry nie mają żadnej broni, nie musimy się więc kryć, bo to nam tylko przeszkadza celować. W każdym razie teraz już na pewno was wywąchały. Rozciągamy się, Dan w prawo, ja w środku, Peder po lewej. Pod żadnym pozorem nie dopuśćcie ich za plecy! Celujcie starannie i niech każdy strzał trafia do celu!

To były dobre, rozsądne rozkazy i staraliśmy się je wypełnić. Ale zagrożenie nadciągało nie tylko z przodu, ale też od prawej, gdzie stał Dan. Po tej stronie były trzy latry i zbliżały się do nas szybko, zasłonięte przez stos gruzu. Dan oddał pierwsze strzały i zobaczyłem, jak latr spada na ziemię. Karabin maszynowy Neda ryczał ogłuszająco, przeszkadzał mi złożyć się do strzału, a mgła kłębiła się i gęstniała tuż przy ziemi.

Trafiłem jednego i patrzyłem, jak spada, złożony niemal w pół. Wtedy usłyszałem, jak Dan wrzeszczy:

– Cholera! Cholera! Zła amunicja!

Przestał strzelać… ale psiakrew, przecież zawsze wiedzieliśmy, że to stara amunicja i nie można jej do końca ufać! I wtedy… Boże!… I wtedy… Krzyk Dana zmienił się w skowyt. Zaczął biec, potykając się, w moją stronę, ale…

Kątem oka zobaczyłem, jak go zaatakowały i powaliły na ziemię. Były tylko dwa, a Dan był duży i silny. Ale pomimo że są chude i wiotkie jak dym, to mają zdumiewającą, straszną siłę! Przydusiły go, ich szczęki rozciągnęły się w strasznym grymasie, i rzuciły się na niego, a Dan kopał rozpaczliwie i szamotał się w gęstniejącej mgle. Ze wszystkich sił chciałem przestać ostrzeliwać przód i skierować ogień na te stwory, które wysysały z Dana życie, ale ani ja, ani Ned nie mogliśmy odpuścić tych, które na nas nacierały. Poza tym wiedziałem, że jest już po nim. Gdzieś między głośnymi seriami z karabinu maszynowego Neda a pojedynczymi strzałami z mojej broni wydało mi się nawet, że usłyszałem ten charakterystyczny dźwięk, kiedy wysysały z niego ostatnią kroplę. Nie przerywałem ostrzału, ciągle pudłowałem, bo te potwory kręciły się i wymykały strzałom, ale wydawało mi się, że Ned dobrze sobie radzi: zobaczyłem dwa, być może trzy latry rozerwane na strzępy przez jego niestrudzony karabin. A Ned tupał nogami, krzycząc w ich stronę, wykrzykując niewiarygodne brednie i przeklinając je na wszelkie sposoby. A one wytrwale się do nas zbliżały.

Wtedy zorientowałem się, że moje pierwotne kalkulacje były błędne, a może za pierwszym stadem przyleciało tych latrów znacznie więcej. Mimo że zabiliśmy już kilka, zostało tam jeszcze przynajmniej dziewięć albo dziesięć, i jeszcze te dwa, które pastwiły się nad Danem… zaraz, a może już z nim skończyły i teraz przyszły po mnie!

Pomodliłem się do Boga, żeby moja amunicja okazała się dobra, przeładowałem i zacząłem ostrzeliwać morderców Dana. Broniłem siebie, owszem, ale te dwa były najbliżej, stanowiły największe niebezpieczeństwo, a karabin maszynowy Neda spokojnie mógł sobie poradzić z całą resztą. Wystarczyło, żeby Ned tam po prostu stał i niszczył wszystko, co tylko podeszłoby trochę bliżej.

Dwaj moi przeciwnicy byli już nasyceni krwią Dana, ale wciąż pełni żądzy. Ich oczy zapłonęły jak lampy, kiedy zaczęły się do mnie zbliżać, i w te właśnie oczy wycelowałem. Te stwory są szalone, w najlepszym razie opętane, a to, że świeżo posiliły się krwią biednego Dana, jeszcze to szaleństwo wzmagało. Wydawało się, że nie zwracają już żadnej uwagi na zagrożenie, leciały prosto na mnie! Wszystko to tylko mogło mi pomóc.

Kiedy rozwaliłem łeb pierwszemu, dzieliły go ode mnie tylko trzy metry. Następny po prostu odepchnął na bok jego zwłoki i szedł na mnie. Szeroko rozdziawił szczęki, z których skapywała krew Dana, a szponiaste ręce wyciągnął po mnie. Wtedy złożyłem się do ostatniego strzału, żeby trafić go prosto w głowę. Mój ostatni strzał, właśnie, i dokładnie wtedy mój karabin się zaciął! Przeklęta amunicja! Dan Coulter i ja, obaj wzięliśmy naboje z tej samej serii!

Niczego zupełnie nie mogłem zrobić, ale nie chciałem po prostu uciec. Zresztą moje nogi i tak by mi chyba nie pozwoliły uciekać. Zamiast tego popatrzyłem, jak spisuje się Ned Singer. A spisywał się bardzo dobrze: w mgle pokrywającej ziemię widać było dużo ułożonych w stos kształtów, których na pewno nie było tam wcześniej. Ale właśnie wtedy zobaczyłem, jak broń Neda nagle zamilkła i przestała wydawać z siebie to ogłuszające wycie. I chociaż potrząsał tym karabinem na prawo i lewo, i chociaż szarpał te części mechanizmu, które nie działały, przeklinał desperacko, wrzeszczał na cyngiel, zdradziecki karabin pozostał cicho!

Znów zła amunicja? Być może, chociaż kaliber oczywiście był inny. A możliwe też, że karabin Neda przegrzał się albo po prostu zaciął. Takie rzeczy się zdarzały, ale w tej sytuacji był to dla niego wyrok śmierci!

Zostały jeszcze cztery latry, które na chwilę się zatrzymały i podobnie jak poprzednie stanęły w bezruchu. Ale gdy tylko Ned rzucił się do ucieczki, zlały się w jedno i zagarnęły go niczym fala obrzydliwego brudu. Ale nie rzuciły się na niego, tak jak wcześniej latry rzuciły się na Dana, nie zaczęły wysysać z niego krwi, lecz podniosły go w górę, każdy złapał za jedną z jego kończyn. I chociaż Ned to jest… to był duży mężczyzna, uniosły go w górę i zabrały w ciemność. Ale nie poddał im się tak łatwo, to przecież Ned Singer.

Jeszcze kilka minut później, kiedy mogłem już poruszać nogami i wydostać się stamtąd, słyszałem jego krzyk, coraz dalszy i słabszy. Wtedy też ucichły wystrzały i odgłosy walki, a wszędzie zaroiło się od ludzi, którzy z szaleństwem w oczach zaczęli zadawać pytania, na jakie nie miałem siły odpowiadać, na pewno nie w tej chwili…

Gdy Halbstein doszedł do końca swojego sprawozdania, wystąpił kolejny człowiek: przebiegły, nielubiany, naznaczony blizną Arthur Robeson, biorący udział w tym spotkaniu tylko z powodu broni, którą miał przy sobie: karabinu maszynowego Neda Singera.

– Byłem jednym z tych, którzy pospieszyli na pomoc, jak wszystko się trochę uspokoiło – powiedział.

– To znaczy jak wszystko się skończyło! – przerwał mu Peder Halbstein. – Pamiętam to, bardzo dobrze pamiętam, że byłeś wśród ostatnich… a właściwie byłeś ostatni z tych, którzy się pojawili! Nic cię nie obchodził biedny Dan Coulter, ja zresztą też nie, zapytałeś tylko o swojego starego kumpla Neda. A kiedy garstka ludzi odważyła się pójść i poszukać jakiegokolwiek śladu po nim, poszedłeś za nimi, tylko po to, by zabrać ze sobą jego porzuconą broń!

– Oskarżasz mnie o coś? – warknął Robeson i cofnął się o krok.

– O nic! – odpowiedział Halbstein. – Nic, tyle właśnie zrobiłeś i tyle robiłeś zawsze, poza może mieszaniem wokół Neda Singera i wtrącaniem się w jego sprawy!

– Zamknij się lepiej, człowieku – krzyknął Robeson w odpowiedzi. – Nie przyszedłem tutaj, żeby mnie obrażano, ale żeby wyjaśnić, co zabiło Neda. Kula utkwiła w mechanizmie spustowym, nie miał szans jej uwolnić. Może gdyby miał przyzwoite wsparcie...

– Ty...! – Halbstein wstał, by rzucić się na niego, ale Big Jon go powstrzymał.

– Stać! – ryknął lider klanu. – Dość tego! Każdy ma nerwy w strzępach, ja też, w końcu dopiero co mieliśmy tu najgorszy atak latrów, jaki nam się dotąd przydarzył, ale przecież niekoniecznie ostatni. Straciliśmy siedmiu ludzi ubiegłej nocy, a Ned Singer był tylko jednym z nich. Z tego co tutaj wysłuchałem, to dobrze bronił siebie i klanu. Nie był może ulubieńcem wszystkich, ale na Boga, potrafił walczyć z latrami! Pod tym względem z pewnością będzie nam go brakowało. O tym nie wolno nam zapomnieć.

– Ned był jednym z najsilniejszych, jednym z najlepszych! – powiedział Robeson. Wtedy ojciec Gartha naskoczył na niego, jak przed chwilą Peder Halbstein:

– Rzeczywiście najlepszy? A niby skąd to wiesz, co? Byłeś z nim kiedyś w akcji albo w ogóle z kimkolwiek innym? Kiedykolwiek odważyłeś się stanąć nocą z bronią w ręce i gulą w gardle, aby walczyć, a może zabić jakiegoś latra? Nie? No proszę, tak właśnie myślałem!

– Nie, nigdy nie byłem w akcji – zaprotestował. – Ale pracowałem, jeszcze w Southern Refuge. Ja... porządkowałem to, co znaleźli zbieracze, no i... pomagałem na farmach!

– Tak – pokiwał głową Big Jon. – I zawsze umiałeś znaleźć dobry powód, żeby pozostać blisko domu, o ile sobie przypominam. Cóż, nie ma się czego wstydzić, i tak było sporo do zrobienia w czeluściach tamtego labiryntu. Ale teraz jest inaczej, nie ma żadnych łupów do uporządkowania i żadnych farm na trasie naszej wędrówki! Za to będziemy potrzebowali siedmiu nowych członków eskorty i strażników, a to znaczy, że będę szukał ochotników. Tak więc może najlepiej będzie, jak zatrzymasz tę armatę Neda i doprowadzisz ją do porządku. I bardzo ci dziękuję, Arthur, że jako pierwszy zgłosiłeś się do służby!

– Co? – Robeson wyszeptał zaledwie jedno słowo, ale zrozumiał Big Jona aż za dobrze, na jego pobladłej nagle twarzy blizna nabrzmiała czerwienią. Lider klanu odwrócił się od niego i powiedział do reszty zgromadzonych:

– W takim razie mamy coś jeszcze do omówienia? Nie? Ale mamy coś do zrobienia, i to całkiem sporo, bo musimy się stąd wynieść, zanim zrobi się ciemno. Taka jedna noc jak poprzednia to o jedną za dużo, i jeżeli tu zostaniemy na kolejną, te stwory na pewno wrócą...

* * *

W drodze na parking, kiedy świt rozjaśnił ciemności, Garth zapytał ojca:

– Ty i Big Jon Lamon, nie za bardzo znęcaliście się nad Robesonem? Nie każdy może być zbieraczem. Nie nadają się do tego ludzie o słabych nerwach, których łatwo przestraszyć, albo tacy...

– Tacy, którzy nie do końca są ludźmi? – przerwał mu Zach.

– Peder Halbstein miał rację i Big Jon także. Z tego co wiem, Robeson dobry jest tylko w jednej rzeczy, albo być może dwóch: w donosicielstwie i unikaniu bezkarnie wszelkiej możliwej roboty! Aż do dzisiejszego poranka zastanawiałem się, czy może nie myślę tak tylko dlatego, że nie podoba mi się ten człowiek, ale jak widać, Big Jon jest podobnego zdania. A wiesz przecież, że Jon Lamon cholernie dobrze zna się na ludziach. Zresztą niech to wszystko szlag trafi! Żaden przyjaciel Singera, żywego czy umarłego, nie jest naszym przyjacielem!

Garth był skłonny się z tym zgodzić, kiwnął więc głową i po chwili powiedział:

– Ty i Big Jon zawsze byliście dobrymi przyjaciółmi, prawda?

– Razem dorastaliśmy i razem byliśmy zbieraczami – odpowiedział Zach. – Dlaczego pytasz o coś, co powinno być dla ciebie oczywiste?

– Ponieważ na tym spotkaniu w kościele był taki moment, kiedy myślałem, że za chwilę się z nim pokłócisz, albo przynajmniej coś mu powiesz.

– Tak?

– Tak, to było wtedy, kiedy powiedział, że nic dobrego nie wyniknie z mówienia źle o zmarłych. Jakoś miałem uczucie, że niespecjalnie się z tym zgadzasz, i zastanawiałem się dlaczego.

Zach wyglądał na zaskoczonego.

– Myślisz, że nie szanuję zmarłych? – zapytał. – W takim razie się mylisz. Nic nie mam do zmarłych, chodziło mi o to, jaki był Ned Singer za życia! O to, jak cię traktował.

Garthowi wydawało się to zwykłą wymówką, więc skrzywił się i zaczął:

– Ale…

– Tu nie ma żadnego ale! – warknął ojciec. – Posłuchaj: latry zabrały go żywego, to prawda, pewnie żeby gdzieś na spokojnie wyssać z niego krew, a potem zjeść jego ciało. Miejmy nadzieję, że tak właśnie było! I co tak na mnie patrzysz, oburzasz się? Nie martw się, aż tak go nie nienawidzę, nikogo nie mógłbym do tego stopnia nienawidzić! Ale synu, między życiem a śmiercią, jak je rozumiemy, jest jeszcze inny rodzaj istnienia, który znają tylko latry, w nim istnieją i rozmnażają się, o ile w ogóle można tak o nich powiedzieć. I mówiąc szczerze, właśnie dlatego wolałbym, żeby Ned Singer był martwy. Czyli naprawdę martwy, zupełnie martwy, martwy już na zawsze!

I kiedy Garth zaczął w końcu rozumieć, zamilkł…

* * *

W ciągu kilku kolejnych dni życie klanu niezupełnie przypominało idyllę, nawet dla świeżo poślubionych, Gartha i Layli Slatterych, dla których prawdziwe szczęście pozostało daleko, w wytęsknionym raju za północnym horyzontem. Jednakże odnaleziona na nowo w sobie nawzajem radość nigdy nie osłabła i w trakcie tych nielicznych chwil, kiedy mogli spać w swoich objęciach, czasami śnili o tym edenie na północy.

Częściej jednak nawiedzały ich koszmary, podobnie jak pozostałych członków klanu, zarówno młodszych i mniej doświadczonych, jak i starszych, bardziej zaprawionych w bojach wędrowców, zwłaszcza członków eskorty i ludzi z nocnej straży. A w miarę jak prowizoryczne pojazdy i przyczepy jechały, skrzypiąc i jęcząc, w dalszą drogę, nie tylko nocą, ale też i za dnia, skoro słońce nie było już tak groźne, to pojawiały się wciąż nowe rzeczy, które mogły stać się przyczyną niepokoju i nocnych koszmarów.

Przede wszystkim droga nie wiodła już po trasie wyznaczonej przez Big Jona na północ na podstawie kilku starożytnych map i wyblakłych notatek pozostawionych przed dawno zmarłych przodków, odkąd czwartej nocy, kiedy konwój zatrzymał się na postój w lecie pod osłoną klifów, rozczarowany szef techników Andrew Fielding z żalem poinformował lidera klanu o niewytłumaczalnym wzroście promieniowania wtórnego.

– Tamto ostatnie miasto – powiedział, potrząsając głową, zdziwiony – nie wiem, może to był wyjątek? Otoczone przez niskie wzgórza jak te tutaj, możliwe, że miało na tyle szczęścia, że po trwającej jedynie kilka godzin wojnie jądrowej sprzed lat te wzgórza były w stanie zasłonić je przed opadem radioaktywnym albo przyjąć sporą jego część na siebie. A studnia na dziedzińcu kościoła mogła być zasilana wodami podziemnymi leżącymi tak głęboko, że nigdy nie trafiło tam zewnętrzne promieniowanie, które mogłoby skazić wodę.

– Co było, nie wróci – odpowiedział Big Jon, choć ręce mu trochę opadły na te wieści. – Chcesz mi powiedzieć, że po zaledwie czterech dniach znów mamy zwiększone promieniowanie, jak wcześniej?

– Może nie jest aż tak źle – odpowiedział Fielding tak optymistycznie, jak tylko się dało w tej sytuacji. – Ale na pewno nie tak dobrze, jak mogliśmy mieć nadzieję.

– A warstwa ozonowa? – zapytał lider, oczywiście bardzo rozczarowany. – Co z nią? To też może były pobożne życzenia?

– Nie, wcale nie. Owszem, promieniowanie słoneczne czy ultrafioletowe trochę wzrosło, ale nawet kiedy niebo jest bezchmurne aż po horyzont, jego poziom stale się zmienia. Jednak nawet wtedy, kiedy jest najgorzej, i tak jest o wiele niższy niż kiedykolwiek stwierdzony od czasu naszego wyjścia z Southern Refuge. W takim razie można przypuszczać, że na tej szerokości geograficznej warstwa ozonowa cały czas przesuwa się, zmienia i zanika. A może te zmiany są spowodowane plamami na Słońcu?

Przepraszam, ale nie wiem! Być może gdybym dawniej więcej wysiłku włożył w badanie warunków na powierzchni, jeszcze kiedy byliśmy na południu... gdybym spędził więcej czasu na górze? Ale nie, pod ziemią też miałem wiele do zrobienia... – skończył z charakterystycznym dla siebie przepraszającym wzruszaniem ramionami.

– Hmm! Jak dla mnie i tak zrobiłeś znacznie więcej, niż do ciebie należało! – powiedział mu Big Jon. – Wychodziłeś na powierzchnię po odczyty, pracowałeś w świetle słonecznym, bez przyzwoitego stroju ochronnego. Widziałem to wystarczająco często! Tylko teraz nie narażaj się tak, przyjacielu, bo na pewno nie możemy sobie pozwolić na utratę kogoś takiego jak ty.

– Dziękuję za to – odpowiedział z wdzięcznością szef techników – ale to moja praca i tak ją trzeba wykonać, a jeśli ja nie będę tego pilnował, to kto miałby to za mnie robić? Odkryłem w każdym razie, że zawsze śpię spokojniej, kiedy dowiem się dokładnie, z jakim przeciwnikiem mam do czynienia!

– Ha! – powiedział Big Jon. – Nawet złoty blask słońca jest naszym przeciwnikiem! – A potem pewna myśl uderzyła go, kiedy spojrzał na ciemniejące już niebo: – Tak, ale nie jest to nasz jedyny przeciwnik...

Garth i jego ojciec zostali wezwani, żeby towarzyszyć Big Jonowi, i byli świadkami tej rozmowy. Jako że od zmierzchu dzieliła ich tylko godzina albo dwie, to nie tylko zrozumieli dobrze uwagę Big Jona, ale pojęli też, dlaczego chciał się z nimi widzieć. I kiedy łagodny szef techników odszedł, nadal potrząsając głową, wówczas lider klanu obrócił się w stronę ojca i syna.

– Skoro już mowa o nieprzyjaciołach – powiedział – cienie już się wydłużają. Zmierzch będzie za niecałą godzinę, a za kolejną godzinę zapadnie noc. Cóż, zwerbowałem trochę ludzi, albo zmusiłem ich, żeby zgłosili się na ochotnika, żeby zastąpić tych, których straciliśmy, ale to nie wystarczy. Na szczęście te prawie pozbawione zarośli zbocza, tworzące miejscami dobre punkty obserwacyjne, ułatwią nam pilnowanie zachodniej flanki, a w pewnym stopniu odwalą za nas ciężką robotę, ponieważ nawet latry muszą uznać wyższość grawitacji. Trzeba będzie ochraniać wiele ludzi z przodu i z tyłu konwoju, ale i tak najważniejszy wschód, bo tam w grę wchodzi długość całej kolumny. A teraz do rzeczy. Garth, chciałbym z tobą zamienić słówko, jeśli można. A twój ojciec powinien to także usłyszeć, żeby wiedzieć, o czym myślę i o co cię proszę.

– Oczywiście, tak jest – odpowiedział Garth i skinął głową. A Zach dodał:

– Mów więc, Jon… O co chodzi?

– Chłopcze – zaczął Big Jon, kładąc Garthowi rękę na ramieniu. – A może nie powinienem się już tak do ciebie zwracać, przecież cię obserwuję i wiem, że jesteś już mężczyzną, który udowodnił swoją wartość jak najlepsi z członków tego klanu. W każdym razie niedawno brałeś ślub, ile to będzie, trzy albo cztery dni temu? Trudno powiedzieć, żebyście mieli teraz z Laylą czas na szczęście i spokojne bycie razem. Ten wyścig z czasem, kiedy jesteśmy nocą w drodze, patrole i nocne warty, kiedy rozkładamy obozowisko, jak teraz, to nie jest idealny początek dla młodej pary zaczynającej wspólne życie. Wiem, że na twoich ramionach spoczywa ogromna odpowiedzialność, że to trud, ciężar i zmartwienie, i troska zwłaszcza o Laylę, kiedy jesteś gdzieś w ciemnościach, ochraniając konwój. A teraz jeszcze chcę coś ci do tego ciężaru dorzucić!

Big Jon przerwał, a Garth znów skinął głową.

– Powiedz, czego chcesz – rzekł – a cokolwiek to jest, dam z siebie wszystko, o ile tylko będzie to służyć bezpieczeństwu Layli i całego konwoju.

– O to właśnie chodzi! – oparł natychmiast lider klanu. – Ale chcę cię poprosić o coś naprawdę wielkiego, chociaż jesteś taki młody, i gdyby nie to, że krew Zacha Slattery'ego płynie w twoich żyłach, nigdy nie odważyłbym się o to prosić. W każdym razie pozwól, że wyjaśnię, na czym polega ta prośba. Widzisz, jestem daleko od zadowolenia z tego, jak się teraz wszystko ułożyło, i muszę dokonać pewnych zmian. Na przykład teraz, kiedy Neda Singer zabrakło, brakuje nam jednego szefa zbieraczy… nie, jeszcze inaczej, bo o dawnych zbieraczach nie może już być mowy. Brakuje nam jednego dowódcy drużyny, kogoś, kto by patrolował i kontrolował patrole w drodze, i nocne straże w czasie postojów. Singer miał największą drużynę, jego zespół pracował razem bardzo dobrze przed waszym sporem i uważam, że nadal powinien pozostać w tym samym składzie. W takim razie to właśnie dawna drużyna Neda będzie chronić wschodnia flankę dzisiaj wieczorem i jej powierzę wykonanie trudniejszych zadań w przyszłości. Jako członek tego zespołu co o tym myślisz?

W odpowiedzi zaskoczony Garth wzruszył ramionami i rzekło:

– Cóż, tego się właśnie spodziewałem, i przyzwyczajałem się do tej myśli, i tak będzie najlepiej dla konwoju i klanu, jestem tego pewny. Nawet po tym okropnym ataku w tamtym zrujnowanym mieście nadal myślę, że zespół trzyma się razem, tylko jak to najlepiej ująć? Na tyle dobrze, jak można oczekiwać, całkiem dobrze pod dowództwem Pedera Halbsteina.

– Hmm – Big Jon pokiwał głową w zamyśleniu. – Całkiem dobrze, co? Lojalny jak zawsze! Ale jeśli chodzi o Pedera Halbsteina, jest coś jeszcze. Twierdzisz, że nie zobaczyłeś żadnej zmiany w zachowaniu Pedera? Ale nie, Garth, nie musisz nic mówić, bo czuję, że w tym wypadku trudno byłoby ci powiedzieć prawdę. A prawda jest taka, że Peder Halbstein nie nadaje się już do znoszenia tego rodzaju presji. Szczerze mówiąc, po prostu sobie nie radzi, nie wrócił jeszcze do siebie po tej strasznej nocy. A podczas tych kilku godzin snu, na które sobie może pozwolić, ma koszmary i budzi się z krzykiem, wzywając swojego starego kumpla Dana Coultera. Siwieje i szybko traci na wadze, jego twarz jest szara i wychudzona, ma dreszcze, trzęsie się i jąka. Nie, zbyt długo jest zwiadowcą, strażnikiem i wartownikiem, zrobił już bardzo wiele. Pozwól więc, że raz jeszcze cię zapytam, a jak rozumiesz, chodzi mi nie tylko o dobro klanu, ale też o dobro Pedera: na pewno możesz powiedzieć, że nie dostrzegasz w nim żadnej zmiany?

– Ja… – odpowiedział Garth – ja nie zdawałem sobie sprawy, że jest aż tak źle. Co chcesz zrobić?

– Nie, Garth – odrzekł, potrząsając głową. – Nie chodzi o to, co chcę zrobić, ale co muszę zrobić! Chcę, żebyś przejął jego zadania jako szef drużyny, właśnie teraz, i został w ten sposób najmłodszym członkiem klanu, który kiedykolwiek otrzymał tak odpowiedzialne stanowisko. Co do zaś biednego Pedera, znajdę mu coś, co będzie trochę mniejszym wyzwaniem. I co ty na to?

Na chwilę Garthowi zabrakło słów. Popatrzył na ojca, który stał spokojnie, nie zdradzając, co myśli.

– A więc? – zapytał Big Jon.

– Ale jak powiedziałeś – odparł w końcu Garth – będę nie tylko najmłodszym szefem, jakiego kiedykolwiek powołano, ale najmłodszym członkiem mojej własnej drużyny! Są w niej przecież inni, którzy...

– Którzy prawdopodobnie ucieszą się, że pozbywają się tego ciężaru! – uprzedził go lider. – A co do tego, że jesteś młody, to zauważyłeś chyba, Garth, że w całym klanie nie ma tak naprawdę nikogo, kogo by można nazwać starym? Ja, twój ojciec i szef techników Andrew Fielding, no i jeszcze garstka innych, to najstarsi, jakich znajdziesz! Owszem, jest sporo starszych kobiet, ale starszych mężczyzn cholernie mało! A zresztą kobiety nigdy nie były zbieraczami, co prawdopodobnie mówi samo za siebie.

Wtedy odezwał się Zach:

– I o to właśnie chodzi z Pederem Halbsteinem. On zdaje sobie sprawę, że to tylko kwestia czasu. Widział, jak umierają jego przyjaciele, o wiele za dużo ich umarło, ale też ostatnio sam Peder był zbyt blisko śmierci...

Nadal nieprzekonany Garth powiedział:

– To brzmi, jakbyś mnie ostrzegał!

– Nie! – Zach potrząsnął głową. – Nigdy! Jeżeli się zgodzisz, będę mógł ci doradzać, a nawet od czasu do czasu osobiście pomóc, jak zrobi się naprawdę ciężko, ale to musi być twoja decyzja.

– Nie chcę wcale być ochotnikiem – zdeterminowany Garth powiedział Big Jonowi.

– Nigdy bym cię do tego nie zmuszał, choćby dlatego, że znam twojego ojca i wiem, że nigdy by mi tego nie wybaczył!

– Ale do tego nie dojdzie – Garth podjął decyzję – ponieważ już się na to zgodziłem. Przyjmuję więc propozycję. Ale pod jednym warunkiem.

– Jaki to warunek? – Big Jon uniósł brew. A Garth skinął głową.

– Jest, ale tylko jeden. To ty przekażesz tę wiadomość Layli Morgan, znaczy Layli Slattery, powiesz jej dokładnie, o co mnie poprosiłeś. Albo jeszcze lepiej, co mi kazałeś zrobić.

Lider klanu po chwili milczenia zaklął:

– Cholera! – a Zach tylko się zaśmiał. Za chwilę jednak Big Jon dodał całkiem poważnie: – A to będzie chyba najtrudniejsze zadanie, jakie od dłuższego czasu dostałem do zrobienia. Z drugiej strony to ja udzieliłem tego ślubu, jakże więc mógłbym odmówić?

8

Peder Halbstein nie był jedynym, którego prześladowały koszmary. Wiadomo było, że cierpi z tego powodu wielu podróżników, także Garth i Layla, kiedy tylko zdarzały im się chwile spania, miewali złe sny. Ale przede wszystkim kiedy już udało mi się rozpocząć wspólne życie, dręczącym i nawracającym tematem tych snów był lęk, że siebie utracą... Garthowi śniło się, że został zabrany daleko od Layli do piekielnego, szalonego niby--świata i nie mógł do niej wrócić, a Layla miała wizję, że porwały go latry, co właściwie wychodziło na jedno.

Ale tak naprawdę od czasu opuszczenia Southern Refuge kontakty z tymi zmutowanymi wampirami ograniczyły się do dwóch albo trzech ataków tygodniowo. Widywano też wiele pojedynczych latrów i niekiedy niewielkie ich grupki, było kilka potyczek, kilka latrów zabili strażnicy. Były też cztery poważniejsze ataki, w których pięciu ludzi straciło życie... Kulminacją tego wszystkiego był tamten morderczy szturm latrów na zrujnowane miasto, w którym klan poniósł największą klęskę i który na nowo rozpalił w każdym z osobna grozę i niekończący się strach przed latrami...

Garth wiele się nauczył tej nocy, a jedną z tych lekcji zawdzięczał złośliwemu, mściwemu zachowaniu Singera, temu, jak został przez niego pozbawiony odpowiedniego wyposażenia, kontaktu z towarzyszami broni, zupełnie sam wystawiony na niebezpieczeństwo czające się w mroku nocy. Teraz miało być całkiem inaczej, Garth w niczym nie przypominał Singera. Każdy członek jego oddziału miał otrzymać taki sam sprzęt, nie będzie żadnych ulubieńców, nikogo nie pozwoli wykorzystywać ani nad nikim się znęcać.

Garth, zdecydowany, że od początku da z siebie wszystko jako dowódca, tej trzeciej nocy spędził ostatnie godziny ciemności na uważnym wpatrywaniu się w rzadki las na wschód od obozowiska, wybierając najlepsze miejsca na posterunki, w których miało stacjonować jego sześciu wartowników, takie, z których nic nie zasłaniałoby widoku na wschód i na ewentualne sygnały dawane przez innych, gdzie można by bez przeszkód prowadzić ostrzał wroga. Jego własne stanowisko miałoby się znaleźć oczywiście w samym środku, oprócz tego sam wychodziłby na patrol.

Ponadto odszukał innych dowódców, Donalda Myersa i Berta Jordana, obu starszych od siebie o co najmniej pięć albo sześć lat, a także starszych doświadczeniem, które wiązało się z tą różnicą wieku, upewniając się nie tylko co do tego, że rozlokowanie ich mniejszych oddziałów będzie uzupełniało jego pozycje, ale też proponując, żeby tam gdzie linie obrony stykają się, tworząc narożnik, postawić wzmocniony patrol z jednym z jego ludzi oraz z kimś od Jordana na północy i od Myersa na południu. To było doskonałe posunięcie, obaj dowódcy pogratulowali Garthowi pomysłu, a także jego awansu. Życząc mu szczęścia, powiedzieli, że powinien zajść daleko, a zawsze trochę ponury Myers dodał:

– To znaczy oczywiście, że w ogóle dokądkolwiek dojdziesz w tej przeklętej, niekończącej się wyprawie! Choć może lepiej, żeby Big Jon Lamon nie wiedział, że coś takiego powiedziałem…

Noc minęła pomyślnie, Garth patrolował niestrudzenie i godziny mijały bardzo szybko. Zach zajrzał do niego raz, późno w nocy, rzekomo dlatego, że nie mógł zasnąć, i zaproponował Garthowi, że go przez godzinę albo dwie zastąpi, aby syn mógł się zdrzemnąć na miejscu. Ale mimo wyczerpania Garth odrzucił jego propozycję, a mając też świeżo w pamięci wydarzenia na parkingu, nie zgodził się na to, żeby Zach wymienił się z nim bronią. Wolał zachować własny karabin, automatyczny, który nie potrzebował przeładowywania. To nie tylko wiarygodne, ale prawdziwe wytłumaczenie trafiło ojcu do przekonania.

Jednak jakoś na godzinę przed świtem Garth pożałował, że nie zgodził się na to, co zaproponował ojciec, i nie przysnął na chwilę. Z trudem utrzymywał otwarte oczy i w trakcie ostatniego patrolu pomagał sobie kawałkiem drzewa, które posłużyło mu za laskę i ułatwiło chodzenie.

Garth nie miał zamiaru spać. Przeciwnie, blade światło przedświtu, przypominające zmierzch, nie poprawiało widoczności, ale wręcz oszukiwało oczy i nie pozwalało na odpowiednią ocenę odległości, a zarysy nieszkodliwego zagajnika jawiły się jako groźne kształty. Wszystko to w połączeniu z gęstą na kilkanaście centymetrów mgłą unoszącą się znad ziemi było co najmniej rozpraszające i trzymało w napięciu nerwy Gartha, paradoksalnie zwiększając jego zmęczenie.

Pomijając odległe wycie nocnych ptaków, a od czasu do czasu także stłumione, niezrozumiałe, ale przynajmniej pochodzące od ludzi odgłosy poruszenia w obozowisku oddalonym o mniej więcej trzydzieści kroków od pleców Gartha, a jeszcze dalej od lasu, noc była spokojna i cicha, żaden podmuch ani wiatr nie ruszył nawet jednym liściem. A unosząca się i opadająca znów na ziemię mgła, jej powolne wirowanie dookoła powyginanych korzeni drzew i nisko płożących się krzewów, miała jakby hipnotyczny wpływ na człowieka. Mimo wszelkich wysiłków Garth zapadł w sen…

* * *

I prawie natychmiast został z niego przebudzony!

Co to do diabła było? Co się stało? A może tylko mu się przyśniło? Spał na tyle długo, żeby zdążyło mu się coś przyśnić? Ale zobaczył, albo wydawało mu się, że zobaczył, coś dziwnego. W tym niejasnym, trudnym do uchwycenia momencie pomiędzy jawą a snem, w tym przejściu pomiędzy świadomością a podświadomością, czy rzeczywiście spał? A może tylko wyobraził sobie, że zobaczył kogoś albo coś na krawędzi swojej świadomości? A może ktoś tam był naprawdę, postać o dzikich oczach, przyczajona w mglistej dali na samym skraju pola widzenia?

Jeżeli to był sen albo koszmar, wtedy jak w większości snów jego treść w samej chwili przebudzenia mogła się zatrzeć. Ale jeżeli to była rzeczywistość?… Garth zadrżał jak liść na wietrze. Czy była to rzeczywistość, czy sen, dobrze wiedział, kogo zobaczył, albo wyobraził sobie w tej mgle w oddali. I im bardziej był tego pewien, tym wyraźniejsze i żywsze stawało się to wspomnienie.

Ale teraz, gdy odzyskał kontrolę nad sobą i przenikliwie wpatrywał się w ciemność, nie było tam niczego poza stopniowo rozjaśniającym mrok światłem i opadającą na ziemię mgłą, porannym koncertem zaskakująco wielkiej liczby ptaków i szelestem robionym przez małe, niewidoczne stworzenia mieszkające w podszyciu lasu. W takim razie to musiał być koszmar, zupełnie pozbawiony związku z rzeczywistością. A kiedy Garth powoli odprężył się, a serce przestało mu walić, uznał, że najlepiej nikomu o tym nie mówić. Nie wspomni o tym ani ojcu, ani tym bardziej Layli!

Niezdolny jednak zupełnie wyrzucić tego obrazu ze swojego umysłu poszedł na końcowy patrol, pytając każdego członka swojego oddziału, którego spotkał, czy nie zdarzyło się coś, co zakłóciło im wartę. Ale na szczęście nie było ani jednego takiego zgłoszenia, wszystko poszło dobrze. A w dodatku kiedy rozpoczynające dzień światło słońca zaczęło przedostawać się przez korony drzew, a długie, pojedyncze gwizdnięcie Gartha dało znak drużynie, że warta się skończyła, wtedy podczas powrotu do obozowiska znalazł chudego Garry'ego Maxwella.

Maxwell również patrolował otoczenie stojących w jednym miejscu pojazdów. W razie alarmu, gdyby latry znalazły sposób ominięcia wartowników, ostrzegłyby go o tym jego psy, a Garry obudziłby strażników i cały obóz.

Ale ten długonogi treser, chcąc po prostu położyć się spokojnie i w kilka godzin odespać pracowitą noc, z może zbyt wielką chęcią donosił, że nocą nie działo się nic ważnego.

– Moje psy zwiadowcze były może trochę nerwowe, od czasu do czasu niespokojne – powiedział, tłumiąc ziewnięcie. – Najprawdopodobniej dlatego, że słyszały i wyczuwały ciebie i twoich ludzi, jak patrolowaliście okolicę. Ale uciszałem je przez wzgląd na wszystkich, którzy tu spali. Wystarczy, żeby kilka psów zaczęło szczekać, a już za chwilę panuje wszechobecny zgiełk!

Nadal bardziej niż trochę zaniepokojony Garth czuł, że to mu musi wystarczyć, i złożył raport Big Jonowi Lamonowi w oparciu o tę decyzję, a nie o treść swojego nocnego koszmaru.

W każdym razie przecież nie mógłby się przyznać, że zasnął!

– Dobra robota, Garth! – ucieszył się lider klanu po wysłuchaniu raportu – i świetnie poradziłeś sobie w nocy, w swoim pierwszym zadaniu! Ale w końcu każda spokojna noc to dobra noc, prawda? Bert Jordan i Don Myers właśnie tutaj byli. Zdaje się, że uważają, że dobrze się spisujesz. Porównują cię nawet do ojca! Uważaj tylko na jedno, Zach bywa czasami w gorącej wodzie kąpany, trochę porywczy, choć najczęściej ma po temu dobry powód. W każdym razie z tego co widzę, jesteś od niego dużo bardziej zrównoważony i bardzo mi się to podoba. Pozwól wiec, że powtórzę: dobra robota! A teraz możesz pójść i trochę odpocząć.

To jednak łatwiej było powiedzieć niż zrobić. Layla nie była specjalnie skłonna do tego, żeby pozwolić Garthowi odpocząć, przynajmniej nie przez kolejną godzinę.

* * *

Jednakże tym razem, kiedy słysząc jego krzyk, młoda żona obudziła go potrząsaniem za ramiona i wołaniem po imieniu, Garth wiedział na pewno, że to był tylko sen. Ciepłe, niosące pociechę ramiona Layli tylko go w tym upewniły. Ale ta pociecha nie mogła rozproszyć nękającego go nieprzyjemnego uczucia, że… Ale że co właściwie? Że coś do niego uporczywie powraca?

Ciepłe, niosące ukojenie ramiona Layli zdawały się go o tym zapewniać. Mimo wszystko jednak żadne ukojenie nie mogło ostatecznie rozproszyć niepokoju wynikającego… z czego właściwie? Z tej powtarzalności? Bo istotnie powtórzył się w umyśle Gartha ten obraz, który, jak mu się zdawało, przyśnił mu się, a może który rzeczywiście miał przed oczami? Ten obraz z obrzeży zamglonego lasu… Krótko mówiąc, nadal nie był na sto procent przekonany, czy to był sen, czy jawa.

Jednak było dla niego zupełnie jasne, że w tej wizji podświadomości raz jeszcze zobaczył Neda Singera. Ale ten Singer bardzo różnił się od tego, którego Garth znał. Miał dziwnie pusty i oszołomiony wyraz twarzy, jakby jemu samemu śnił się jakiś dziwaczny sen. W jego kocich oczach tlił się srebrzystożółty blask, a twarz była zapadnięta jak trupa.

– Co to było? – dopytywała się Layla. – Dławiłeś się i próbowałeś cos powiedzieć. A chociaż byłeś zimny, to jednak cały zlany potem!

– To był… – odrzekł Garth, gdy tylko był w stanie wydobyć z siebie głos. – To był sen, koszmar. – A potem skłamał: – Ale nie mogę… nie pamiętam żadnych szczegółów.

Rozdygotana Layla podeszła do niego i powiedziała:

– To oczywiście przez twoją pracę. Ciemność, w którą się wpatrujesz, wyczekiwanie na te straszne stworzenia, to wystarcza, żeby mieć złe sny, także mnie, choć jestem tu przecież bezpieczna.

Była zaledwie druga po południu, ale Garth miał już dosyć tego zakłóconego koszmarami snu. Ubrawszy się, opuścił podobne do namiotu schronienie, jakie razem z Laylą zbudował z ołowianych blach opartych o wóz. Wtedy też natknął się na posłańca, chłopca o połowę od niego młodszego, który przekazał mu wiadomość, że Big Lamon Jon zwołał spotkanie przy swoim wozie. Garth krzyknął do niego:

– Hej, powinieneś trzymać się z dala od słońca! – chociaż drzewa dawały wystarczająco dużo cienia. Ale chłopiec odpowiedział:

– Nie trzeba, Garth! Nie dzisiaj! – a potem zniknął wśród cieni rzucanych przez liście. Inni zmierzali już w kierunku kolumny i Garth zachęcony widoczną na ich twarzach ekscytacją, a także oczywiście widokiem Layli machającej do niego ręką, dołączył do nich…

* * *

Członkowie klanu mieli ważny powód do swojej ekscytacji. W tej stosunkowo niedużej społeczności pogłoski zawsze rozchodziły się szybko i z pewnością jedna z nich, i to bardzo pomyślna, o ile w ogóle prawdziwa, choć na pewno znacznie przesadzona, wyprzedziła posłańca. I gdy tylko zebrali się w opancerzonym wozie lidera klanu, każdy wbrew zdrowemu rozsądkowi miał nadzieję, że pogłoski są prawdziwe, ale nie ośmielali się mówić tego na głos z obawy, że ktoś im tę nadzieję odbierze. Chcieli to usłyszeć od samego Big Jona.

Nie kazał im długo czekać. Usiadł na rdzewiejącym boku wozu razem z szefem techników Andrew Fieldingiem i uśmiechnął się od ucha do ucha, a potem zaczął:

– Ludzie, dzisiejszy dzień zostanie zapamiętany jako wyjątkowy, ponieważ dotarły do nas dwie cudowne wiadomości! Dajcie mi chwilę, a przekażę wam tę mniej ważną. Ale najpierw... – przerwał i zwrócił się do Fieldinga, żeby za chwilę dodać: – Najpierw muszę wspomnieć naszego nadzwyczajnego głównego technika! – i poklepał go po plecach, a znacznie niższy od niego Andrew zachwiał się i gwałtownie zakaszlał, niemal się krztusząc.

– To on od świtu pracował przy odczytywaniu wskaźników promieniowania. Tym razem oczywiście mówimy o promieniowaniu ultrafioletowym, o szkodliwych promieniach słońca, o których dotąd mówiły nam coś tylko analizy warunków panujących w okolicach Southern Refuge i które z konieczności znaliśmy więc słabo. Z tego co nam wiadomo, poziom tego promieniowania był śmiertelny przez ponad półtora wieku, odkąd tylko broń atomowa skaziła atmosferę.

Jednakże zgodnie z odczytami, które Fielding przeprowadził zaledwie godzinę temu... ale nie, uczciwie będzie, jeśli pozwolę mu samemu wam o tym powiedzieć. Andrew?

Fielding zakaszlał, wzbudzając chwilami nerwowy, pełen sympatii śmiech tłumu, który szybko jednak ucichł, gdy tylko udało mu się opanować, a jego wysoki, łamiący się głos zastąpił głębszy, mocniej brzmiący głos Big Jona.

– Jestem zaszczycony uwagami naszego lidera – zaczął nieco niepewnie – choć nadal uważam, że jestem w sytuacji nie do pozazdroszczenia, w najlepszym wypadku trochę niezręcznej, może dlatego, że ten honor moim zdaniem mi się nie należy. Gdy ostatnio wygłaszałem podobne opinie i stwierdzenia jak to, co mam zamiar powiedzieć teraz, moje słowa obróciły się przeciwko mnie i długi czas mnie prześladowały! Mam na myśli to, co stało się w tamtym mieście z parkingiem, kościołem i studnią. Wierzyłem wtedy, że znaleźliśmy się na bardziej sprzyjającej szerokości geograficznej, co było wynikiem pobożnych życzeń, a nie naukowej obserwacji, a to wzbudziło wielkie nadzieje, które bardzo szybko okazały się płonne. Z mojej strony to był błąd w ocenie sytuacji, którego nigdy nie chciałbym popełnić po raz drugi. Ale… ale mogę opowiedzieć o tym, co moim zdaniem odkryłem!

Odkąd zostawiliśmy za sobą tamto złowróżbne miasto, dokonuję pomiarów promieniowania słonecznego co godzinę, codziennie, i wczoraj poczułem, że muszę przekazać liderowi pewną złą, choć nie bardzo złą, wiadomość. Krótko mówiąc, zgłosiłem, że promieniowanie ultrafioletowe słońca wydaje się zmieniać natężenie. W mojej opinii jest to efekt działania warstwy cząstek położonych w górnej części w atmosferze, która się stale zmienia, czasami blokując śmiertelne promienie, a kiedy indziej je przepuszczając. Tak właśnie działo się wczoraj, a także przez kilka godzin dzisiaj rano, kiedy poziom nieco się podniósł… a te zmiany atmosferyczne zdają się nam bardzo dobrze służyć! Pozwólcie, że wyjaśnię:

Jak powiedział wam Big Jon Lamon, byłem na posterunku od pierwszego świtania i godzina po godzinie moje odczyty były coraz lepsze. Prawdę mówiąc, w niecały dzień poprawiły się do tego stopnia, że są teraz lepsze od pomiarów z miasta latrów, i o wiele lepsze niż kiedykolwiek od czasów, gdy opuściliśmy tamto miejsce, lepsze, niż sądziłem, że to w ogóle możliwe! Niestety w żaden sposób nie jestem w stanie ocenić, jak długo potrwa ta zmiana, nawet w najbliższej przyszłości, ponieważ z całą pewnością nie chcę powtórzyć błędu sprzed zaledwie kilku dni! Ale…

W tym momencie lider klanu podniósł w górę swoją ogromną dłoń i wtrącił:

– Ale pozwólcie, że każdemu z was przypomnę, jak wspaniale się czuliśmy podczas tych kilku dni, jak mogliśmy podróżować w blasku dnia i odpoczywać w nocy! Wczoraj, gdy wysłuchałem rozczarowującego raportu Andrew, przyznaję, że poczułem się przygnębiony, ale teraz już tak nie jest! – już nie! Przygnębienie zniknęło! Teraz czuję się podtrzymany na duchu i chętny do dalszego wysiłku! Który podejmiemy, i to już wkrótce, jak tylko posłuchamy naszego głównego technika… – i obrócił się znów do drobnej postaci stojącej obok niego, który nieznacznie się skrzywił, uchylając się, spłoszony, przed zama-

szystym gestem ciężkiej ręki Big Jona. – To prawda, że w przeszłości przerywałem ci o wiele za często, ale tym razem wy-
bacz mi moje podekscytowanie i kontynuuj. Powiedz nam, jeśli
chcesz, jakie masz jeszcze wiadomości… te najlepsze i najważniejsze!

– Tak, tak! – odpowiedział tamten. – Właśnie do tego dochodzę do tego! Ale najpierw raz jeszcze pozwólcie mi zaryzykować
moją reputację, choć tym razem mam powód, by sądzić, że to
ryzyko jest minimalne. Bo tak jak mówiłem, to wydaje się, że im
dalej jesteśmy na północy, tym bardziej te atmosferyczne anoma-
lie zdają się działać na naszą korzyść! Pomimo wahań i mimo
wszystko stopniowo, ale poziomy promieniowania zarówno ultra-
fioletowego, jak i wtórnego stają się w końcu, jak ośmielam się
powiedzieć, może nawet odważę się użyć słowa „zdecydowanie",
bardziej zadowalające! Oczywiście cały czas rosną i maleją, ale
nawet najwyższy poziom nie jest nigdy tak wysoki jak ostatni,
a niższy jest zawsze niższy od ostatniego pomiaru.

I wtedy właśnie ciszę stojącego prawie bez tchu tłumu przerwał odgłos stłumionych westchnień, gwałtownych oddechów,
niegłośnych, ale słyszalnych krzyków, potem pojawiły się głośne
pytania, nie do końca artykułowane, aż wreszcie prawdziwa
burza złożona z coraz głośniejszych okrzyków.

– Cisza! – krzyknął Big Jon i wstał na równe nogi, od razu
górując nad wszystkimi zebranymi. – Cisza, powiedziałem! Bo
wcale jeszcze nie skończył i najlepsze dopiero usłyszymy!

Zapadła cisza, ludzie przysunęli się bliżej, a stojący z przodu
Garth poczuł ich podekscytowanie prawie jak namacalną siłę
napierającą na jego plecy.

– Tak jest, najlepsze! – Fielding energicznie skinął głową.
– Choć jestem nazywany szefem techników, moi koledzy są nie
mniej ważni i wszyscy pracowali co najmniej tak ciężko jak ja,
o ile nie ciężej. Mówię teraz o Earlu Jonesie i Glennie Garissonie,
moich radiowcach!

Po tym, jak zabrzmiało to ostatnie nazwisko, gwar nagle
ucichł i zapadła kompletna cisza, a zgromadzeni stali, jakby ich
ktoś zahipnotyzował. Czyżby ostatnia rewelacja małego technika
miała oznaczać właśnie to?

– Wydaje się, że upłynęło bardzo dużo czasu – powiedział jakby na potwierdzenie Fielding nagle drżącym głosem – odkąd po raz ostatni nawiązaliśmy kontakt z kimś spoza klanu albo poza Southern Refuge. Ale dzisiaj rano to właśnie udało się osiągnąć Earlowi i Glennowi! To było stare radio, rozpadające się, trzeszczące, znalezione w ruinach i naprawione prowizorycznie elementami zupełnie innego przeznaczenia, ciągle spisywane na straty i ciągle przywracane do życia, odnawiane, montowane na nowo. I w końcu dzisiaj rano, kiedy nagle ucichły tak częste i pozbawione znaczenia szumy statyczne, pojawiły się głosy, prawdziwe ludzkie głosy... i... i wiadomość!

Ale to było wszystko, co mieli usłyszeć od szefa techników. Wyczerpany emocjonalnie, drżący i ledwo stojący na nogach Fielding został zdjęty z wozu przez Big Jona i przeprowadzony przez rozstępujący się przed nim tłum.

Wtedy zanim ogłuszeni ludzie zdążyli zareagować, lider klanu pochylił się i podał rękę do człowieka o wiele młodszego od Fieldinga: Earla Jonesa, który przez wszystkie te lata określał się mianem operatora radiowego, o ile tylko te radia działały, a następnie postawił go na wozie. To właśnie technik Jones usłyszał i zarejestrował tę ważną wiadomość, a jego szef, Fielding, jemu zostawił opowiedzenie reszty tej historii.

Kiedy zamyślony przeszukiwał bez żadnego zainteresowania fale radiowe, jak robił to już setki razy, nagle zauważył powtarzający się sygnał i głos tak bardzo słaby, że mógł pochodzić od gwiazd. Z duszą na ramieniu odważył się zajrzeć w nieprawdopodobną gęstwinę przewodów, drutów i bezpieczników, aż w końcu zdołał ustawić najlepszy zasięg i zapisać gryzmołami wiadomość. Była to przesycona znużeniem, a nawet rezygnacją prośba, swoją apatią odpowiadająca nastrojowi Jonesa. Chodziło w niej o to, żeby, o ile ktoś po drugiej stronie jest i jej słucha, postarał się nawiązać kontakt na wygodniejszej częstotliwości, która została wskazana.

Czując, że potrzebuje pomocy i potwierdzenia tego, co robi, upewnienia się, że to wszystko dzieje się naprawdę, Jones zawołał Garissona. Garrison, który spał w pobliskim wozie załadowanym mnóstwem wyposażenia technicznego, obudził się i dołączył szybko do Jonesa, który już nastawiał inną długość fali i przez cały czas rozmawiał z jakimś fantastycznym „innym", w którego istnienie trudno było uwierzyć.

W tym momencie Glenn Garrison dołączył do Jonesa i lidera klanu stojących na wozie. Dwaj technicy, uzupełniając się nawzajem, przedstawili wszystkie szczegóły tego unikatowego, ekscytującego wydarzenia. Naprawdę udało im się nawiązać łączność z zamieszkującą bardziej na północ wysunięte tereny grupą ludzi, którzy przeżyli wojnę atomową. Grupa ta przez całe lata szukała kontaktu radiowego z innymi, w nadziei na zwiększenie tej niewielkiej populacji, dziesiątkowanej przez ataki latrów, żeby w ten sposób odświeżyć i odnowić degradującą się pulę genetyczną, nie tylko swoją, ale także ocalałych gatunków zwierząt… I tak, kiedy niektórzy technicy i specjaliści wiedli to na poły ukryte pod ziemią życie, głównie po to, żeby utrzymać „sanktuarium" jako możliwe schronienie w razie ewentualnej katastrofy w przyszłości, to większość tej „rodziny" mieszkała teraz na powierzchni ziemi, zajmując gospodarstwa rolne i małą wieś, którą stopniowo odbudowywali i odnawiali, co trwało już prawie dziesięć lat! A jeśli chodzi o latry, to po zmasowanym ataku, który zdziesiątkował populację zamieszkującą sanktuarium, ci, którzy przeżyli, rozpoczęli walkę, zaryzykowali przedostanie się w ciągu dnia do sąsiedniej wioski i do pobliskiej okolicy, gdzie mieli szukać i zabijać wampiry, ukrywające się przed słońcem…

Zrujnowana wieś, ze swoimi piwnicami i innymi zakamarkami, służyła im jako schronienie, pozwalając na prowadzenie mściwych łowów, palenie ukrywających się stworów, oczyszczanie z nich okolicy, zakładanie min i instalowanie systemów wczesnego ostrzegania… To wszystko było możliwe dzięki temu, że warstwa ozonowa w północnej szerokości geograficznej powoli się odbudowywała, gęstniała, a teraz cały region był prawdopodobnie całkowicie bezpieczny, przynajmniej jeśli chodzi o słońce, i w zasadzie wolny od potworów. Trafiały się jeszcze sporadyczne, choć nieefektywne, ataki, zawsze od południa, czyli dokładnie z tego miejsca, w które właśnie miał wkroczyć konwój klanu…

Kiedy dwaj technicy zbliżali się do końca swojej historii, Big Jon Lamon znów się wtrącił. Chcąc mieć ostatnie słowo, ogłosił zakończenie spotkania słowami:

– Posłuchajcie mnie, jestem świadomy, że zawsze byli wśród nas tacy, którzy nie wierzyli, że są szanse na dojście choćby dotąd, ale wiem także, że wszyscy, każdy i każda z nas, włożyli w tę ogromną przygodę swoje serce, ciało i duszę. Ponadto musicie wiedzieć, że ja sam nie jestem wolny od wątpliwości, ale czuję, że na moich barkach spoczywa ogromny ciężar. Moim najgorętszym pragnieniem jest odczuć samemu tę ulgę, którą wyczuwam w was, zobaczyć ją wypisaną na waszych twarzach, zdjąć ciężar także z waszych ramion i dlatego na sam koniec zatrzymałem najlepsze wieści, które chcę wam przekazać osobiście.

W takim razie co to za wiadomość, którą trzymałem dla siebie aż do tej chwili? To proste: mieszkańcy sanktuarium, tacy jak my, są na tyle mądrzy, że odkryli albo przechowali jeszcze z dawnych czasów technikę triangulacji radiowej, to znaczy, że zlokalizowali nas, ten oto konwój, w punkcie oddalonym o nie więcej niż sto mil na południe od ich schronienia! Ponadto jeżeli będziemy utrzymywać regularny kontakt, to kiedy się do nich zbliżymy, mają zamiar wysłać do nas silny oddział, który się do nas przyłączy i będzie naszym przewodnikiem! Ludzie, przyjaciele, jesteśmy prawie na końcu naszej podróży!

Wówczas, po krótkiej przerwie, która pozwoliła każdemu pojąć prawdziwe znaczenie jego słów, tłum wybuchnął radością, nakrycia głowy poszły w górę, odtańczono też mały taniec. Ludzie śmiali się, pokrzykiwali energicznie i klepali się po plecach.

Big Jon pozwolił na to przez chwilę albo dwie, a potem huknął:

– A teraz posłuchajcie! Idźcie i przygotujcie się. Odpoczęliśmy sobie tutaj, przynajmniej większość z nas, i pora wyruszyć w dalszą drogę. Myślałem, że być może powinniśmy przedłużyć swój pobyt tutaj jeszcze o jedną noc, ale pamiętam nauczkę z tamtego przeklętego miasta: jeżeli jesteśmy w jakimś miejscu zbyt długo, latrom łatwiej nas wywęszyć. W takim razie teraz, uskrzydleni tymi dobrymi wieściami, rozumiemy, że nadszedł czas ruszyć w drogę, co nie powinno nam zająć więcej niż godzinę. Gdzieś tam przecież na nas czekają, a nawet wybierają się nam na spotkanie! Słusznie byłoby ze swojej strony dołożyć jak największych starań, aby to spotkanie nastąpiło jak najszybciej.

Dlatego też będziemy jechać przez resztę dnia i całą nadchodzącą noc, a spać jutro od świtu do zmierzchu. Jeżeli będziemy mieć trochę szczęścia, to jutro ostatni raz będziemy spać w ciągu dnia, a jak tylko powłoka ozonowa na dobre się ustabilizuje, to pozbędziemy się trochę tego strasznego ciężaru, który nas ostatnio przygniatał. I co wy na to?

Ludzie całym sercem popierali Big Jona, ale główny mechanik, Ian Clement, człowiek ze smugami smaru na twarzy i o spracowanych rękach, w obszarpanym i ubrudzonym olejem kombinezonie, chcąc mu o czymś przypomnieć, zawołał:

– Big Jon! Jak dobrze wiesz, to całe złe, zapiaszczone paliwo, którego używamy, zniszczyło silniki, i to tak, że nie da się ich naprawić. Teraz każdy wóz, i w ogóle każdy pojazd, będzie po dach zapakowany ludźmi i sprzętem, co będzie jeszcze większym obciążeniem dla silników i jeszcze bardziej nas spowolni. Co gorsze, możemy być pewni, że przynajmniej jeszcze kilka silników po tej drodze zepsuje się na dobre! Wiesz, że nie chcę tu namieszać, ale ci dobrzy ludzie muszą zrozumieć, że to wcale jeszcze nie koniec naszych kłopotów, wręcz przeciwnie! Powiedzmy sobie szczerze, maksymalna szybkość tego konwoju sięgała poniżej dziesięciu mil i udało się ją utrzymać przez jakieś dwadzieścia cztery godziny. Co, jak przypuszczam, jest tak samo moją winą, jak kogokolwiek innego, przy czym ja się tylko martwię o te przeklęte silniki! Ale teraz co będzie przy tych problemach z paliwem, wcześniej z jego oszczędzaniem, teraz ze słabą jakością, ze słabymi drogami, o ile tam w ogóle będą jakieś drogi, a nie tylko gruzowisko i bagna. Poza tym będziemy musieli regularnie zbaczać z drogi, aby znaleźć bezpieczne schronienie jeszcze za dnia, a w nocy przemierzać niebezpieczne rejony z zachowaniem najwyższej ostrożności. Dochodzą jeszcze awarie, których z pewnością będzie jeszcze więcej, i sam nie wiem, co mogę jeszcze dodać! Ale jedno jest pewne: nic nie możemy na to wszystko poradzić, i te sto mil to w dalszym ciągu piekielnie daleko!

– Ian, masz całkowitą rację – natychmiast odpowiedział lider klanu. – Dlatego tym bardziej powinniśmy wyruszyć w drogę tak szybko, jak się tylko da. Wiemy przynajmniej, że już nie musimy tak bardzo oszczędzać paliwa i wody. Z drugiej strony jeśli chodzi o oszczędność, odtąd nie musimy oszczędzać na tych niewielu domowych zwierzętach, które zabraliśmy ze sobą. Chodzi mi o to, że możemy wreszcie polować albo zastawiać sidła, o ile latry wszystkiego nie wybiły, i nie trzeba będzie więcej poświęcać tych zwierząt, które wieziemy w klatkach. Trzeba je zachować w celu wymiany puli genów z tymi, które są hodowane przez naszych na północy, co przyniesie poprawę ich jakości. Są one zalążkiem nowego stada dla całej ludzkości. A my sami, jeśli chodzi o nasze geny, jesteśmy być może zalążkiem samej ludzkości… A skoro tak, nie możemy pozwolić, żeby trochę zdezelowanych, cudem przywróconych do życia pojazdów nam w tej misji przeszkodziło. Nic nam nie może przeszkodzić!

W końcu, omiatając tłum spojrzeniem pełnym nadziei, jakiej jeszcze nikt nigdy na jego twarzy wcześniej nie widział, Big Jon z satysfakcją pokiwał głową. Zsunął się ze swojego wozu i rozkazał im:

– Teraz rozejdźcie się i szybko do roboty. Za godzinę już nas tu nie będzie. Mamy przed sobą długie popołudnie, wieczór i całą noc…

9

Wszystko to wydarzyło się jedenaście dni i dziesięć nocy temu. Od tego czasu konwój niestrudzenie zmierzał na północ, i droga ta obfitowała w przygody. Na szczęście nie zdarzały się już ataki latrów, chociaż u schyłku każdego dnia, kiedy Big Jon zarządzał postój, a mechaniczny jęk przeładowanych pojazdów uciszał się z trudem, długie nocne cienie zaś zaczynały pokrywać ziemię swoim całunem, wszyscy z niepokojem doszukiwali się obecności wampirów tam, gdzie niegdyś były martwe radioaktywne nieużytki, prawdziwie nieurodzajna ziemia, która teraz w jakiś magiczny sposób zmieniła się dzięki poprawie warunków naturalnych w łąki porosłe trawą i gęste zagajniki.

Zdecydowanie za często słychać było przenikliwe dźwięki gwizdków alarmowych, należących do wartowników. Ich latarki wysyłające czerwone światło ostrzegawcze sięgały najdalszych zakamarków, oddziały wsparcia były gotowe do akcji, przygotowane do odparcia ataków nieumarłych wrogów. Ale za każdym razem, co było bardzo dziwne, niekończące się chwile obserwowania otoczenia ze wstrzymanym oddechem mijały w ogłuszającym milczeniu, czerwone światło ostrzegawcze zmieniało się w zielone, a rozkaz wydawany przez Big Jona i potwierdzony krótkim gwizdnięciem dawał znak, że kolejny alarm został odwołany.

Alarmów było tak dużo – trzy albo i cztery każdej nocy – i tak często były one fałszywe albo pozornie nieuzasadnione, że ludzie właściwie się do nich przyzwyczaili. Jednak mimo że często przyzwyczajeniu towarzyszy lekceważenie, nigdy nie zaczęli lekceważyć latrów, dlatego też wciąż te alarmy były przyczyną długich, bezsennych, nerwowych nocy.

Z kolei dni były wspaniałe!

Nieprzyzwyczajeni do takich ożywczych dni i ciepłego, życzliwego światła słonecznego ludzie odsuwali okrywające ich wozy osłony i z wolna zaczynali zapominać uciążliwości związane z zagraconymi pojazdami. Jak tylko się dało, siadali tak, aby nogi wystawały im na zewnątrz, i machali nimi w rytm miarowego, kołyszącego terkotu wozów. I po raz pierwszy w ich stosunkowo krótkim życiu ich twarze przestała pokrywać wyniesiona z podziemi bladość, ustępując miejsca rumieńcom i opaleniźnie, łagodnymi promieniami wymalowanej przez słońce.

Jednakże przewidywania Iana Clementa okazały się słuszne i istotnie pojawiły się problemy. Optymizm Big Jona co do braku konieczności oszczędzania wody był przedwczesny i nawet nadzieje radiowców głównego technika Andrew Fieldinga dotyczące nawiązania kontaktu z tamtymi ludźmi z sanktuarium zostały zniweczone, kiedy radio razem z resztą sprzętu wiezionego przez pojazd techniczny znalazło się po jego wywrotce w przydrożnym rowie.

Big Jon uznał to za tak samo wielki problem jak pozostałe, prawie za katastrofę, ponieważ głosy na tamtym końcu fali radiowej, choć i tak dotąd zakłócane przez wyładowania, zamilkły tym razem na zawsze w plątaninie drutów, bezpieczników i roztrzaskanego szkła.

Ale rzeczywiście wcale nie układało się dobrze, a właściwie było coraz gorzej, zwłaszcza jeśli chodzi o wodę. Już drugiej nocy po opuszczeniu leśnych gęstwin i obraniu kursu przez strome zbocza, która była pierwszą nocą tak zwanego odpoczynku, mimo częstych alarmów wzniecanych przez prawdziwą albo tylko domniemaną obecność latrów gdzieś w pobliżu, w zardzewiałej cysternie pojawił się poważny wyciek. Ponieważ pojawił się dokładnie na spodzie zbiornika, strużka cennej wody nie została zauważona aż do świtu, kiedy obszar zamoczonej ziemi pozwolił w pełni oszacować ogrom strat: były to przynajmniej dwie trzecie całej rezerwy wody.

Szef mechaników Clement zatrzymał wyciek w ekspresowym tempie, ale już nazajutrz okazał się bezradny wobec zatartego silnika, a jeszcze następnego dnia nie był w stanie nic poradzić na wyłamane osie wozu transportowego. Nieustannie pogarszający się stan pozostałych pojazdów konwoju jeszcze bardziej utrudniał tę i tak niełatwą podróż.

Co do Gartha Slattery'ego, jego ekipy zwiadowczej, zwanej teraz coraz częściej strażą nocną, i co do latrów to ich aktywność nieoczekiwanie całkowicie zamarła.

Odkąd kolumna poruszała się teraz powoli i ostrożnie tylko w świetle dnia, Garth i jego oddział oraz pozostałe drużyny co noc pilnowali obozu, patrolując go dookoła albo na całej jego długości, co oznaczało, że ludzie mieli teraz przynajmniej możliwość przespania siedmiu lub ośmiu godzin w hałaśliwym, zgrzytającym wozie w ciągu dnia, i zachowania wieczorów dla siebie, kiedy Big Jon ogłaszał postój, a kolumna zatrzymywała się, by odpocząć i zająć się rozbijaniem obozowiska. Garth mógł więc w końcu spędzić przynajmniej trochę czasu z nowo poślubioną żoną, ale nigdy nie było to wystarczająco często ani długo.

Layla wiedziała, że coś go martwi. Jego koszmary były straszniejsze niż kiedykolwiek, kiedy po zaledwie kilkugodzinnym odpoczynku zaczynał mamrotać coś do siebie, by po chwili budzić się z nieartykułowanym krzykiem, przytulać się do niej i trząść się gorączkowo. Czasami powtarzał jej imię, czasami było to imię kogoś innego… kogoś, kogo Layla pamiętała aż za dobrze!

Początkowo sądziła, że dobrze to rozumie, i pomimo niedogodności akceptowała to jako naturalną konsekwencję wzajemnej animozji między Garthem a tamtym okropnym człowiekiem. To znaczy akceptowała to Layla, Garth natomiast już niekoniecznie. Nie chciał jednak analizować swoich problemów, bo takie rozważania tylko bardziej zasmuciłyby Laylę, najprawdopodobniej zupełnie niepotrzebnie. W ten sposób stosował się do własnej rady i zachowywał swoje wątpliwości i obawy tylko dla siebie. Bo podobnie jak Layla, chociaż w mniejszym stopniu, Garth miał w zwyczaju prowadzenie ze sobą długich rozmów służących racjonalizowaniu, a przez to także minimalizowaniu problemów. Robił to jednak tylko za dnia, gdy jasne promienie słońca świeciły mu prosto w twarz. Nigdy w nocy, na warcie.

I tak mijały dni…

Jednak czwartego dnia po południu, kiedy konwój się zatrzymał, by dokonać pilnej naprawy zawieszenia jednego wozu, i kiedy Garth raz jeszcze, nie do końca wypoczęty, obudził się z krzykiem, Layla dostrzegła, że właściwie zaczyna wyglądać na wyczerpanego i nawet nieco wychudzonego. Zdecydowała wtedy, że później, kiedy się wyśpi i będzie ją dobrze rozumiał, musi z nim porozmawiać na ten temat. Ale na razie…

Kiedy umył się oszczędnie kubkiem wody, ogolił, używając jej resztek, i ubrał, ona wyszła, żeby zająć się uczeniem dzieci w naprędce zorganizowanej szkole. Wtedy właśnie wpadła na Zacha Slattery'ego, który uznał, że wygląda na bardziej niż zazwyczaj zmęczoną, znużoną i zmartwioną.

Podczas przerwy, kiedy wolno było dzieciom grać w proste gry bez nadzoru, Zach wziął ją na bok i porozmawiał z nią.

– Laylo, wiem, że to nie mój interes – zaczął, ale ona przerwała mu natychmiast, mówiąc:

– Jesteś ojcem Gartha i kochasz go, to oczywiście jest trochę twój interes!

– Ach! – odpowiedział. – Więc martwisz się raczej o niego niż przez niego? Dobrze! Chodzi tylko o to, że wyglądasz na tak przygnębioną, tak zmęczoną i zdenerwowaną, i to kwestia ostatnich dni. Ale o ile nie dzieje się nic złego, no wiesz, między wami…?

– Nie – potrząsnęła głową. – Nic w tym rodzaju. Mimo tych wszystkich strasznych okoliczności, mam na myśli tę okropną podróż i nocne warty Gartha, nigdy nie byłam tak szczęśliwa i myślę, że Garth czuje podobnie. Ale mimo że wszystko inne układa się dobrze, jest coś… nie wiem co, ale coś, co budzi mój niepokój. Garth ma koszmary, w których dręczą go straszne rzeczy: latry oczywiście, ale także Ned Singer. Nie rozmawia ze mną o tym, zachowuje to w tajemnicy i dusi w sobie, co wcale mu nie służy. Odwlekam poważną rozmowę na ten temat, ale wkrótce będę musiała ją przeprowadzić. Widzę, że zaczyna wyglądać na zgnębionego, wychudłego, może nawet chorego! A jeśli nawet nie jest to choroba ciała, to na pewno zaatakowała jego serce.

Usłyszawszy wzmiankę o Singerze, Zach zmrużył oczy.

– Garth powiedział ci, że śni mu się Ned Singer?

– Nie – Layla znów potrząsnęła głową. – W ogóle nic mi nie powiedział, ale słyszę, jak go głośno woła przez sen albo szepce jego imię tuż przed przebudzeniem.

Zach przygryzł na chwilę górną wargę, potem zmarszczył brwi i jakby się odprężył. W końcu rozjaśnił się, pokiwał głową i powiedział:

– Wiesz, myślę, że masz prawdopodobnie rację co do przyczyn zmartwień Gartha. Cała ta piekielna podróż... i jego służba... Po całej nocy spędzonej w ciemnościach stara się urwać kilka godzin snu w trzęsącym się powozie! Każdy by to źle znosił. A Garth jak na kogoś w jego wieku odwala kawał roboty. To mój syn, i czasami nadal myślę o nim jako o chłopcu, ale to już prawdziwy mężczyzna! Być może prawdziwszy niż większość tych, których znam. Jeżeli uważasz, że powinienem, to mogę jednak zawsze porozmawiać o tym z Big Jonem Lamonem. Nie chciałbym patrzeć bezczynnie, jak Garth przechodzi załamanie jak Peder Halbstein! Ale jeśli ta presja się okaże dla niego zbyt duża... no cóż, może powinienem i tak porozmawiać z Big Jonem, w końcu chodzi o mojego syna!

– Ani mi się waż! – zawołała Layla, jeszcze zanim na dobre skończył. – Garth jest bardzo dumny i gdyby się dowiedział, że zrobiłeś coś takiego w moim imieniu, a może nawet we własnym, nigdy by nam nie wybaczył! A poza tym masz rację: on jest bardziej mężczyzną niż większość tutaj. Bardziej niż reszta młodych mężczyzn z klanu i na pewno bardziej niż ci, którzy próbowali związać się ze mną!

– Cicho, już cicho – uspokajał ją Zach. – W porządku, to był tylko luźny pomysł, nic więcej. Ale skoro mam nie rozmawiać z Big Jonem, to może sam Garth powinien się z tym uporać... cokolwiek to jest? Garth nigdy nie miał mamy, z którą mógłby rozmawiać, ja sam go wychowałem i dlatego jest ze mną bardziej związany. Zawsze bez problemów mi się zwierzał, aż dotąd w każdym razie. Co o tym więc myślisz? Powinienem z nim pogadać?

Layla przemyślała to. Skinęła głową. Podobnie jak wcześniej Zach stopniowo się odprężyła.

– Bardzo dobrze – powiedziała – ale nie wspominaj o mnie. I proszę, nie obciążaj go jeszcze bardziej. Jeśli Garth będzie chciał rozmawiać, dobrze. Ale jeśli nie, niech tak zostanie.

– Umowa stoi – zgodził się Zach. – Tylko powiem Garthowi, że wygląda jak... jak coś, w co nie chciałbym wdepnąć, i spytam go, co się dzieje. A jeśli to naprawdę coś złego, może ta rozmowa pozwoli mu to z siebie wyrzucić.

* * *

Zgodnie z tym, co powiedział, Zach poszedł bezpośrednio do prowizorycznego namiotu Gartha i Layli, przyczepionego do ściany wozu. Zobaczył, że Garth siedzi na dużym głazie oparty o jedno z ogromnych kół wozu i czyści karabin. Choć był już nieco pogodniejszy, nadal wyglądał mniej więcej tak, jak to Zach opisał Layli: jak coś, w co nie chciałoby się wdepnąć. Powtórzywszy ten opis Garthowi, zapytał go:

– W takim razie co się dzieje?

Na króciutką chwilę Garth uśmiechnął się, słysząc tę uwagę. Uśmiech ten jednak, choć przelotny, zupełnie nie pasował do jego bladej, zmęczonej twarzy, nie sprawił, że zaczęła wyglądać lepiej, i zniknął w tym samym momencie, kiedy Garth się odezwał:

– Nie wiem… domyślam się, że jestem tylko zmęczony. Nie spałem ostatnio zbyt dobrze, to wszystko.

Przysunąwszy się bliżej syna i oparłszy chorą nogę o wóz, Zach pokiwał głową i powiedział:

– Zmęczony? Tak, tak, zauważyłem. Ale czy to tylko zmęczenie? Nie sądzę. Wyczerpanie i zmartwienie, to właśnie widzę u ciebie, a także u Layli, ale o co się martwisz?

– Co? – teraz Garth zmarszczył brwi. – Rozmawiałeś z Laylą?

– No wiesz! – odpowiedział ostro, jak gdyby się obraził. – Czyli nie wolno mi tego robić? – A potem dodał: – Widziałem się z nią, owszem, ale nie zatrzymałem się, aby porozmawiać, nawet tego nie potrzebowałem. Zajmowała się akurat uczeniem dzieci, ale wydawała się być myślami gdzie indziej, zmartwiona i przygnębiona, choć na pewno nie aż tak jak ty!

Wtedy nagle spojrzał groźnie na niego, przysunął się i pogroził mu laską, a potem pstryknął palcami:

– Hej, ty! To ja, twój ojciec, pamiętasz? I Garth, znam cię na wylot! Znam cię tak dobrze jak samego siebie! Więc pytam raz jeszcze: o co do diabła chodzi? Bo na pewno o coś chodzi do cholery!

Garth otworzył usta, próbując znów zaprzeczyć, ale nagle westchnął i powiedział:

– To prawdopodobnie tylko ja... chociaż nie! – potrząsnął głową sfrustrowany. – To nie chodzi o mnie! Chodzi o to, że rozmawiałem o tym z innymi dowódcami, z Donem Myersem i Bertem Jordanem, i oni też się tym martwią. Nie podoba im się to, ale to i tak lepsze wyjaśnienie niż tamto!

– Co? – Zach zmarszczył brwi. – Garth, bredzisz! Jakie „to” i „tamto”, o czym ty mówisz? Mów do rzeczy, na miłość boską!

Wtedy Garth odłożył karabin, wstał i w końcu wyrzucił to z siebie.

– Czy kiedykolwiek miałeś uczucie, że ktoś idzie za tobą, śledzi cię? Czy kiedykolwiek widziałeś coś kątem oka, a potem kiedy mrugnąłeś i spojrzałeś znów w tę stronę, nic tam nie było? Czy kiedykolwiek miałeś uczucie... uczucie, że ktoś na ciebie poluje?

Zachowi wydawało się, że wie, do czego Garth zmierza, ale nie mógł za niego nazwać problemu, chciał to sam usłyszeć od niego. Zamiast więc mu podpowiedzieć, rzekł po prostu:

– Synu, kiedy jesteś tam w ciemności, a mgła wije się po ziemi wokół twoich stóp, cienie przesuwają się, kiedy chmury przesłaniają księżyc... wtedy wszystko sobie można wyobrazić! – ale nawet wypowiadając te słowa Zach pomyślał sobie, że byłoby znacznie lepiej, gdyby chodziło tylko o zwykłą grę wyobraźni!

Tym razem to Garth zmarszczył brwi. Patrząc ojcu prosto w oczy, powiedział:

– W takim razie uważasz, jak widać, że przynajmniej częściowo odgadłeś, o czym mówię, co tak mocno mnie martwi?

– Co? A pewnie, że odgadłem! – wybuchł ojciec. – Czy myślisz, że jestem zupełnie głupi? Co do diabła masz wspólnego z Myersem i Jordanem, jeżeli nie tę pracę w samym środku martwej nocy? Być może powinienem pójść i zapytać ich, o co chodzi, co się z tobą dzieje przez te ostatnie dwa tygodnie, odkąd – no, nie wiem – odkąd zniknął ten łajdak Ned Singer!

Te ostatnie słowa Zach powiedział celowo, bardzo uważnie przyglądając się synowi i obserwując jego reakcję. Zachowanie Gartha go nie rozczarowało. Zwęziły się mu oczy, a jego szerokie ramiona nieznacznie się zgarbiły, niemal niezauważalnie, on sam zaś w końcu powiedział:

– Tak, masz rację – skinął głową i wziął głęboki oddech, żeby dodać: – Wtedy właśnie się to zaczęło, albo może dzień czy dwa później. A co konkretnie się zaczęło… sam nie wiem, co to jest, ani co to nie jest!

– Jak to?

Garth znów pokiwał głową i powiedział:

– Nie mogę uwierzyć, że sam niczego nie zauważyłeś! Może dlatego, że nie przeszkadza ci ta sytuacja, ignorujesz ją i cieszysz się spokojem, jak Don i Bert. Ale pozwól mi przypomnieć ci, ojcze, że nie było ani jednego ataku latrów, ani najdrobniejszego znaku ich obecności, odkąd straciliśmy Neda Singera! A przecież gdzieś tam są, całe stada. Wiem, że latry są tam każdej nocy! I psy chuderlawego Garry'ego Maxwella też to wiedzą! Gdy tylko zapada ciemność, stają się kłębkiem nerwów. Czasami, kiedy jestem na patrolu, słyszę dokoła ich węszenie, jęki i skomlenia, a Garry gdera, wyzywa je, każe im szczekać czy też jakoś inaczej dawać znać, co się dzieje. A przecież sam powinien wiedzieć, że jego psy… no cóż, one na pewno wiedzą lepiej!

Wysłuchawszy Gartha, Zach nadal nie był w stanie zaproponować żadnego rozwiązania albo chociaż wyjaśnić, na czym polegał jego faktyczny problem. Sama tylko wzmianka o Nedzie Singerze otworzyła tamy i Garth nie mógł przestać mówić, ale Zach nie chciał dodawać mu zmartwienia, dzieląc się z nim własnymi najgorszymi przypuszczeniami co do tego… czy można go jeszcze nazwać człowiekiem? W każdym razie chciał się dowiedzieć czegoś więcej, zanim podejmie decyzję, jak z tym wszystkim postąpić.

– Martwisz się, że latry nie atakują – dopytywał się przebiegle. – No to muszę przyznać, że tego się nie spodziewałem!

Ale teraz, gdy Garth podzielił się już swoją frustracją, znów potrząsnął głową:

– Dalej tego nie rozumiesz, prawda? – bardziej stwierdził, niż zapytał.

– To mi wyjaśnij – powiedział Zach, wzruszając ramionami.

– One nie atakują, bo śledzą nas, obserwują i czekają na coś!
I kto wie, może wszyscy się myliliśmy, nie dostrzegając w nich
inteligencji. Och, wiem, że one są zwykle zupełnie obłąkane
i bezmyślnie lekkomyślne nawet tam, gdzie chodzi o ich własne
marne życie. Ale teraz... cóż, zaczynam myśleć, że potrafią się
uczyć! Myślę, że właśnie się uczą. I... i myślę też...

– Tak?

Zbliżało się wyjaśnienie.

– Myślę, że mają teraz kogoś, kto nimi dowodzi!

– Mów dalej – powiedział Zach nagle schrypniętym głosem. Ścisnął ramię Gartha, jak gdyby chciał z niego wycisnąć ten
problem.

Garth znieruchomiał teraz na wprost ojca, spojrzał mu prosto
w oczy i powiedział:

– Widziałem go tam wtedy w nocy, i to niejeden raz. Myślę,
że mogłem przysnąć, i może tak właśnie było, bo nawet teraz nie
mogę być całkowicie, zdecydowanie, stuprocentowo pewny tego,
co, jak sądzę, widziałem. Ale ojcze, jeżeli wir mgły w ciemności
nocy może przybrać kształt i okropną twarz człowieka, to muszę
przyznać, że jest tam sporo mgły wyglądającej zupełnie tak jak
jak Ned Singer!

– Ach! – wykrzyknął Zach i głos mu zadrżał, chociaż to, co
usłyszał, jedynie potwierdziło jego podejrzenia.

– On nigdy nie podchodzi zbyt blisko mnie – powiedział
Garth ale staje tam na krawędzi mojej nocnej wizji i rozpływa
się, znika zanim daję radę się na nim skupić. Albo, jeżeli jest
tylko wytworem mojej wyobraźni i nocnych lęków, to obraz ten
znika dokładnie w momencie, gdy próbuję wyobrazić go sobie
dokładnie.

Zach czekał, aż wybrzmi całe milczenie, a potem odezwał się:

– W porządku, Garth, więc jakie są twoje wnioski, jak uważasz? Czy naprawdę widziałeś tam Neda Singera, a jeśli to istotnie on, to do cholery co tam twoim zdaniem robi, a może to
jednak tylko wytwór twojego umysłu?

Garth wzruszył ramionami ze zdenerwowaniem.

– Jeżeli to moja wyobraźnia, a uwierz mi, bardzo chciałbym,
żeby tak było, to Neda tam w ogóle nie ma i doprowadza mnie

to tylko do obłędu! Ale jeżeli, tylko jeżeli, to naprawdę on, to latry zrobią wszystko, czego on zechce, wypełniając jego plan, razem z nim nas śledzą. A jak już powiedziałem, jest ich mnóstwo. To cała horda, rój, zbierający siły rosnący liczbowo i poruszający się w ślad za naszym konwojem.

– Rój! – powtórzył cicho Zach. – W ślad za naszym konwojem!

– Ojcze – Garth chwycił go mocno za rękę.– Widziałem Neda znów ubiegłej nocy, ale teraz… teraz wyglądał inaczej.

Czując żelazny uścisk palców swojego syna, Zach odsunął się ostrożnie i zapytał:

– Jak to inaczej?

Garth wypuścił rękę ojca. Nagle znów siadł na głazie i oparł się o koło. Po chwili namysłu dodał:

– Wydaje mi się, że po raz pierwszy widziałem to całkiem wyraźnie, albo przynajmniej wystarczająco wyraźnie, żeby go zidentyfikować, i to było tej pierwszej nocy, kiedy byłem dowódcą, a nasz obóz znajdował się lesie, osłonięty wzgórzami. Ned był poszarzały i jak skała stał tam we mgle, wisiało na nim poszarpane ubranie. Ale to na pewno był on, mimo że jego normalnie nadęta, czerwona twarz i świńskie oczy były… no cóż, trochę inne. Jak długo go znałem, to zawsze był zbyt pewny siebie, nierozważny i arogancki. Ale tam na patrolu, czy też może w moim śnie, wyglądał na dziwnie zagubionego albo zaskoczonego, jak gdyby próbował zorientować się, kim jest i co tam robi, albo jak gdyby sam był pogrążony w jakimś niezrozumiałym śnie. A jego oczy płonęły zimnym, ołowianym blaskiem w śmiertelnie bladej twarzy.

– Dobrze, to był pierwszy raz. Ale od tego czasu…

– Jego puste spojrzenie stopniowo się zmieniało, wróciła do niego dawna arogancja. Ale oprócz niej pojawiła się też przebiegłość, zło, premedytacja, bo Ned już wszystko rozumie, wie, dlaczego tam jest i co robi! A jeśli chodzi o jego oczy, to wręcz przepalają mnie na wylot!

– Na wylot! – szepnął Zach i skinął głową. – Tak, to do niego podobne!

– Ale ojcze – Garth mówił dalej, jakby go nie słyszał – jak to w ogóle możliwe? Ned Singer jest martwy, porwały go latry, a jednak widzę go i to sprawia, że mózg odmawia mi posłuszeństwa!

Zach przyklęknął na zdrowym kolanie obok Gartha i uścisnął go.

– Synu, nie zwariowałeś, z twoim mózgiem wszystko w porządku. A co do Singera…

– Martwy! – wymamrotał znów Garth.

– Nie – powiedział Zach. – Jest inne słowo albo określenie, które lepiej oddaje to, czym teraz mógł się stać Ned Singer. Nie martwy, ale…

– Nieumarły! – powiedział Garth. – Jak… jak nazywał się ten zwiadowca, o którym mi mówiłeś? Jack Foster, tak?

– Ach! – wykrzyknął Zach. – Więc pamiętasz naszą rozmowę o tamtej sprawie, tak? O Jacku Fosterze, jak został porwany i jak wrócił?

– Tak – powiedział Garth, marszcząc brwi, bo w końcu zaczynał wszystko rozumieć, a przynajmniej tak mu się zdawało.

– Całkiem sporo nad tym myślałem. Ale… nie uważasz, że może właśnie na tym polega mój problem? Że nie mogę pozbyć się tej historii z mojej głowy, jak to Foster wrócił z rojem i spróbował wedrzeć się do schroniska, a teraz nawiedza mnie myśl, że coś podobnego stało się z Nedem Singerem?

– Myślisz, że mogłeś rozmyślać nad tym zbyt długo? – zapytał go ojciec, nie dowierzając, że właśnie o to mogłoby chodzić.

– No cóż, to możliwe, jak sądzę. – I wtedy przypomniał sobie, co usłyszał od Layli o koszmarach Gartha, jak budził się z nazwiskiem Singera na ustach, i rzekł: – Ale Garth, jest coś jeszcze, o czym dotąd nie wspomniałem, bo nie wydawało mi się to istotne.

– W takim razie mów – powiedział Garth.

– A więc – Zach podrapał się w podbródek i cofnął się w myślach do czasu, gdy Garth był zwykłym niemowlęciem. – Jack Foster był bardzo dziwnym facetem, zbyt spokojnym, niemiłym, trochę samotnikiem. Nie miał żadnych bliskich przyjaciół, których bym pamiętał, nawet między innymi zwiadowcami. Jego ojciec przez długi czas cierpiał z powodu skażenia promieniowaniem i głowa Jacka była bardzo zniekształcona, dlatego też prawdopodobnie stronił od ludzi. Z drugiej strony być może był on także… no nie wiem, zbyt wielkim outsiderem, żeby zostać zbieraczem! Bo przecież jak wiesz, ta służba wymaga ludzi określonego rodzaju, umiejących grać zespołowo, aby wydostać się ze schroniska po zachodzie słońca, poszukując w ruinach przydatnych surowców, ryzykując własnym życiem w śmiertelnym starciu z latrami! Ale w dodatku Jack nie wydawał się tak twardy jak reszta. Chodzi o to, że był jakby marzycielem, nie takim, który zasnąłby na służbie, i wcale nie chcę tu robić aluzji do tego, co mi powiedziałeś, ale kimś, kto żyje w swoim własnym świecie i umyśle, prawdziwym introwertykiem. To duże słowo, którego może źle użyłem, bo przecież nie miałem do nauki i książek nigdy takiego pociągu jak ty, ale oznacza to…

– Że Jack Foster był myślicielem – powiedział Garth. – Kimś, kto być może zbyt skupiał się na tym, co działo się w jego własnej głowie?

– Tak! – powiedział Zach. – Mówiąc prosto, za dużo myślał, miał za dużo wyobraźni. A czasami, właściwie to całkiem często, mówił nam, że kiedy był sam, co właściwie przedkładał nad czyjekolwiek towarzystwo, wybrawszy jakieś miejsce, które wyglądało na bezpieczne, ukryty gdzieś głęboko w gruzowisku, często widział, jak latry po prostu stoją i obserwują go, z nieznanego powodu nigdy go nawet nie próbując zaatakować.

Jack był zwiadowcą razem ze mną i Big Jonem Lamonem przez… hm, może cztery lata. Zabijał przez ten czas latry tylko wtedy, gdy otaczała go drużyna i kiedy byliśmy atakowani razem. Od czasu do czasu rzucał też jakieś niesamowite i wzniosłe uwagi, jak na przykład: „Och, one nie są takie złe, jak się je bliżej pozna"… Oczywiście wyśmiewaliśmy to, uważając, że to taki żart, co nie?

Cóż, mawialiśmy, że Jack Foster prowadzi zaczarowane życie, i tak naprawdę było, przynajmniej do tej nocy, kiedy został porwany! Ale zaczarowane czy nie, życie Jacka nie było nigdy szczególnie szczęśliwe. To dlatego, że ciągle w koszmarach śniły mu się latry, a przynajmniej tak przypuszczaliśmy. Sam nigdy nie mówił o tym zbyt wiele, ale ludzie, którzy blisko niego spali, opowiadali, że rzadko udawało mu się przespać więcej niż godzinę albo dwie, budził się cały spocony, roztrzęsiony od stóp do głów, i robiący piekło w związku z tym, co działo się w jego głowie!

Garth słuchał z otwartymi ustami, ale kiedy Zach skończył, powiedział:

– Być może przedostały się one do jego snów! A może, tylko może, chcą się też wedrzeć do moich?

– Tak? – rzekł jego ojciec, pamiętając obietnicę złożoną Layli i zachowując się tak, jakby pierwszy raz o tym wszystkim słyszał. – Z tobą więc jest tak samo?

– Och tak! – zadrżał Garth. – W koszmarach sennych przychodzi do mnie Singer, który tkwi w moim umyśle. Cały czas powtarza... powtarza...

– Tak?

– Że nadchodzi!

– Ach! – powtórzył Zach, usiłując wstać, a potem robiąc krok do tyłu. Wyraz jego twarzy się zmienił, stała się ona surowa, i wtedy równie surowym głosem zapytał: – W takim razie przy tych wszystkich przeżyciach i przy tym, co, jak sądzisz, dzieje się wokół ciebie, nie przyszło ci nigdy do głowy, że powinieneś złożyć raport albo przynajmniej komuś o tym wspomnieć?

– Oczywiście, że chciałem! Naprawdę chciałem! – Garth zerwał się na równe nogi i stanął z ojcem twarzą w twarz. – Ale jak mógłbym to zrobić? Co, powinienem wystraszyć Laylę na śmierć? Albo porozmawiać z Big Jonem i wyjaśnić mu, jak to może przysypiam sobie tam na każdym patrolu? Albo wystawić się na pośmiewisko, bredząc o duchach w mgle, a także o tym jednym naprawdę ohydnym przychodzącym do mnie w snach? Jak myślisz, kto potraktowałby mnie poważnie? I powiedz mi coś, jeżeli możesz: jest wśród nas ktoś taki, kto by nie miał od czasu do czasu złych snów o latrach? Boże, wystarczy już to, że sam zwątpiłem w swoje zdrowie psychiczne bez zachęcania innych, żeby mnie osądzali!

Jego ojciec skinął głową i powiedział:

– Nie przejmuj się. Chciałem się tylko upewnić, że nie rozsypałeś się jak Peder Halbstein, to wszystko. I dobrze rozumiem, co mogłeś o sobie myśleć!

– Ale to co myślałem, to nieprawda? – Garth rozpaczliwie potrzebował potwierdzenia.

– Pewnie, że nie, do cholery! Niech to szlag! I nie martw się tym, ponieważ kiedy porozmawiam z Big Jonem, co oczywiście muszę zrobić, nie wspomnę ani słowa o tym, że spałeś na służbie. Tak naprawdę to pewnie wcale nie spałeś, skoro to te stworzenia wkradły się do twojej głowy. Hej, Ned Singer był cholernym łajdakiem nawet za życia! Więc kto wie, do czego może być zdolny jako umarły, co?

– Albo nieumarły? – powiedział Garth.

A jego ojciec znów skinął głową:

– Albo nieumarły, racja.

– W takim razie porozmawiasz z Big Jonem… i co wtedy?

– Dam ci znać – powiedział Zach. – Ale do tego czasu nie rozmawiaj o tym z nikim. Layla nie jest jedyną dziewczyną, którą mógłbyś śmiertelnie przestraszyć, zresztą nie chodzi tu tylko o dziewczyny…

10

Od tej chwili zaprowadzono kilka zmian w procedurach bezpieczeństwa ogłoszonych przez Big Jona Lamona. W zasadzie wprowadzono je jeszcze tej samej nocy, ale trzymano to w takiej tajemnicy, że dostrzegali je tylko ci, do których się one odnosiły. Garth i inni dowódcy nocnej straży byli ich oczywiście świadomi, i każdy członek oddziału został pouczony o dochowaniu tajemnicy, podobnie jak pospiesznie zwerbowani „ochotnicy", pracujący w wewnętrznym kręgu na warcie. Były to trzy ośmioosobowe zespoły zmieniające się co cztery godziny od ósmej w nocy do ósmej rano na obszarze zajętym przez pojazdy konwoju i tymczasowe obozowiska w odróżnieniu od patroli pilnujących obrzeży. Takie zespoły były uzupełnieniem mobilnych oddziałów wsparcia dysponujących często przebudowanymi motorami, i ich zadania były ściśle określone: w razie jakiegokolwiek alarmu miały obudzić oddziały wsparcia, a w razie gdyby latry zaatakowały, miały one pomagać w kierowaniu tych uzbrojonych motocyklistów tam, gdzie byli najbardziej potrzebni, a potem zająć własne wcześniej przygotowane pozycje obronne w samym środku obozowiska.

Ponadto podwojono liczebność patroli nocnej straży i od tej pory nikt nigdy nie mógł być sam na patrolu, lecz zawsze z partnerem, który w trakcie długich wart miał mu dotrzymywać towarzystwa i uczyć się od niego. W ten sposób teraz, gdyby tylko coś groźnego ukazało się we mgle, przynajmniej dwie pary oczu mogłyby taki widok potwierdzić. Tylko trzech dowódców nocnej straży, którzy odtąd mieli obowiązek pozostawać czujni i stale w ruchu, patrolując od jednego stanowiska do drugiego, bez niepotrzebnych przerw, miało pozostawać samotnych, bo w razie jakiegokolwiek dodatkowego ruchu czy nietypowego zachowania ludzi na obrzeżach obozowiska niuchacze Garry'ego Maxwella, nie wspominając już o pozostałych psach podwórzowych, szczekałyby jak szalone przez całą noc!

Zrodzone w czasie rozmowy Gartha z ojcem, potem szybko wprowadzone w życie, tak jednak cicho, jak to tylko możliwe, te dodatkowe środki bezpieczeństwa konwoju znacznie wzmocniły jego nocną obronę. Tak przynajmniej uważali wspólnie Big Jon Lamon i Zach Slattery. Co do reszty podróżników to nie zdawali sobie oni sprawy z całego zagrożenia, o ile rzeczywiście takie zagrożenie w ogóle istniało. Czemu miałoby służyć sianie wśród ludzi niepokoju teraz, kiedy koniec tej żmudnej wędrówki był tak czy inaczej w zasięgu wzroku?

* * *

Mniej niż pięć godzin po rozmowie z Zachem, kiedy zapadła ciemność, Garth wrócił na patrol ze swoim wzmocnionym oddziałem, tak jak Don Myers, Bert Jordan i ich zespoły. Ale czujny jak nigdy przedtem Garth miał teraz o wiele lżejszą głowę.

Lżejszą głowę, tak…

Introspekcja, jak to nazwał jego ojciec, analiza działania własnego umysłu. Wystarczająco bezpieczna i nawet korzystna w wypadku człowieka zdrowego psychicznie, ale niebezpieczna, jeżeli czyjeś zdrowie psychiczne było kwestionowane, a zwłaszcza jeżeli jego umysł nie należał całkowicie do niego, lecz doświadczał regularnych prób w infiltracji przez jakieś odrażające moce szukające realizacji swoich własnych celów. W ten sposób umysł o kruchej równowadze mógł zostać popchnięty na krawędź przepaści.

Nie chodziło o to, że Garth uważał siebie za umysłowo podejrzanego, już nie i zdecydowanie nie do tego stopnia! Ale jeżeli to, co przydarzyło się Jackowi Fosterowi, zwiadowcy towarzyszącemu w młodości jego ojcu, zwiedzionemu przez latry i będącego do tego stopnia pod ich kontrolą, że przyłączył się do roju i użył swojej zmienionej lub zasymilowanej ludzkiej inteligencji do kontynuowania ataków na Southern Refuge, jeżeli dysponujące telepatią siły w ten sam sposób zaczęły pracować nad Garthem… to już nie tyle go to wystraszyło, ile rozwścieczyło! Także dlatego, że źródło tej złośliwej ingerencji, ten owoc zmienionej w nienawiść niechęci nie tylko wymierzony przeciwko klanowi, ale też bezpośrednio w Gartha, było mu aż za dobrze znane.

Nienawistny odmieniec, tak… Ned Singer, oczywiście! Singer i jego nowe życie nieumarłego.

Garth nie miał co do tego najmniejszej wątpliwości…

* * *

Noc przebiegała pod każdym względem spokojnie i niemrawo, kiedy już prawie o świcie Garth z trudem przemierzał swój obwód, robiąc piąte lub szóste okrążenie – nie uważał za konieczne zapamiętywanie tego – zbliżając się do stanowiska Erica Davisa, którego Garth znał z pierwszego składu oddziału Neda Singera. Garth, który razem z nim służył jako zwiadowca, lubił go i ufał mu.

Mimo że był od Gartha przynajmniej trzy lata starszy, Davis nie chował urazy. Jak niedawno zauważył Big Jon Lamon, praca dowódcy była uciążliwa, wiązała się z ogromnym ciężarem odpowiedzialności. I mimo że Davis nie był leniem, i tak wolał być podwładnym niż przełożonym. Ponadto od razu docenił zdolności przywódcze Gartha, jeszcze kiedy służyli razem jako zbieracze i członkowie eskorty, i wysoko cenił przyjaźń młodszego mężczyzny.

Stacjonujący z Davisem w dogodnym punkcie umieszczonym ponad szerokim zamglonym strumieniem jeden z „ochotników" Big Jona, nerwowo zamyślony młody człowiek o świeżej twarzy o nazwisku Gavin Carter, nie starszy niż sam Garth, jak wydawało się w migotliwym świetle zapalonej pochodni, z jakiegoś powodu wydawał się bardzo blady i rozdygotany. Zauważywszy to po jednym spojrzeniu, Garth spytał, co jest nie tak, bo kiedy był tu ostatnio, wszystko wyglądało dobrze.

– Och, młody Gavin, zaraz będzie w porządku – Davis zbył to wzruszeniem ramion. – Wydawało mu się, że zobaczył coś po drugiej stronie strumienia, to wszystko. Siedzieliśmy tam na tym starym pniu, kiedy nagle poczułem, że się o mnie bezwładnie opiera. Według mnie po prostu się na sekundę zdrzemnął, ale zaraz potem naskoczył na mnie z takim strasznym krzykiem, że boi się o swoje życie! To było chwilę temu, tuż zanim się pojawiłeś.

Drzemka? To wcale nie było wykluczone, jak Garth dobrze wiedział. Ale co do przerażenia to też było w pełni zrozumiałe u młodego mężczyzny, czuwającego z nerwami napiętymi jak postronki w ciemności i mgle? Oczywiście, że tak, a jednak…

– Boi się? – Garth spojrzał Carterowi głęboko w oczy. – Przestraszyłeś się, co, Gavin? Co to było, co podobno widziałeś? A może chodzi tylko o to, że dobrze wiesz, że nie wolno ci spać?

Tamten oblizał spierzchnięte wargi, zadrżał znów i rzekł:

– Po pierwsze nie zdrzemnąłem się… przynajmniej tak myślę. To było raczej… no nie wiem… jak omdlenie czy coś takiego! Choć wcale mi się tak nie wydaje. Może to jakiś rodzaj snu na jawie: przerażające obrazy były w mojej głowie i nagle znikły, coś tam po drugiej stronie strumienia… – Na chwilę Carter przerwał, jego oczy bez jednego mrugnięcia odwróciły się od Gartha i spojrzały bojaźliwie na kłębiącą się mgłę i ciemną, wirującą wodę. Ale zaraz potem z lekkim dreszczem dodał z zakłopotaniem: – W każdym razie przepraszam, jeżeli kogoś zawiodłem… To się już nie powtórzy.

Garth wziął jego rękę, chwycił ją i powiedział:

– W porządku i nic złego się nie stało, Gavin. Ale nadal nie powiedziałeś, co to według ciebie było. To może być ważne.

Eric Davis, który oczywiście wiedział o zmianach w procedurze patrolowania, nawet jeśli nie podejrzewał, dlaczego do nich doszło i dlaczego nie wolno o nich rozpowiadać, zmarszczył brwi i zapytał:

– Ważne? Jak to ważne? Co się dzieje, Garth?

– Nic specjalnego – skłamał Garth, wypuszczając Cartera i zwracając się do przyjaciela. – To tylko teoria, którą wysmażyli, jak sądzę, Big Jon i mój ojciec. Sam jej nie rozumiem!

A zanim Davisem albo Carter zdążyli zadać kolejne pytanie, dodał:

– Nie powinienem się tym zbytnio przejmować… – A potem zwrócił się do Cartera: – Ale Gavin, w razie gdyby pojawiły się kolejne takie omdlenia, to myślę, że zawsze możesz mi o nich później powiedzieć, dobrze?

– Naprawdę się przejąłem, Garth – odpowiedział mu Carter.

– Ale w każdym razie jak powiedziałem, to się nie powtórzy. Będę się pilnował, obiecuję.

– A więc w porządku – powiedział Garth, pobłażliwie kiwając głową, podczas gdy tak strasznie chciał się dowiedzieć czegoś więcej, ale nie mógł przecież rozwijać tematu w obecności zaciekawionego Davisa. Poza tym, jak zasugerował, zawsze może porozmawiać z Carterem. Później, jeżeli nie dzisiaj wieczorem, to może jutro. A w każdym razie był najwyższy czas odejść.

W ten sposób Garth szedł na patrol głęboko zamyślony, ale wszystkie z jego pięciu zmysłów wyczuwały drżenie nocy i dostrajały się do ciemności jak nigdy wcześniej…

* * *

Poza niezbitą pewnością, że latry gdzieś tam w ciemności zbierają siły, gromadząc się poza wzrokiem wartowników, którą podzielali wszyscy dowódcy oddziałów i każdy doświadczony strażnik, może oprócz najgłupszych i najmniej wrażliwych, nic innego nie zakłócało kolejnych godzin warty Gartha i noc była wolna od wszelkich niepokojących zdarzeń.

Jedyny wyjątek zdarzył się rano, na mniej niż godzinę przed pierwszym świtaniem, kiedy zmęczony Garth wybrał się na położone najdalej na północ skrzyżowanie i spotkał flegmatycznego Dona Myersa, który przybył do tego samego stanowiska, patrolując swój własny przylegający odcinek. Tym razem jednak normalnie srogi Myers wydawał się dużo bardziej skłonny do rozmowy i gdy Garth rozmawiał ze swoimi ludźmi, wziął go za łokieć i odciągnął na bok.

– Garth – powiedział bez żadnego wstępu – i co ty na to, e? Znaczy: co myślisz?

– Co myślę? – powiedział zmieszany Garth. – O czym?

– O tym, co się tutaj dzieje, rzecz jasna! – wychrypiał Myers.

– A raczej – i rzucił uważne, podejrzliwe spojrzenie w kierunku zagadkowej ciemności – co się tam dzieje!

– Tam? – Garth powtórzył apatycznie. – Co, coś się poruszyło? – Mówił bez zastanowienia, bezmyślnie, i dopiero po chwili dotarło do niego znaczenie jego słów.

Ale jego rozmówca natychmiast zacisnął dłoń na łokciu Gartha.

– Aha! – powiedział. – Więc poczułeś to, co? – i zaczął rozglądać się na wszystkie strony, i jeszcze raz spojrzał na kłęby mgły poza granicą rewiru, a potem dodał: – Tak, poruszyło się! Dokładnie to, do jasnej cholery, mam na myśli! Ruszają się, te cholerne stwory!

I w końcu dotarło do niego, że ten podstępny płynny ruch, który Garth cały czas wyczuwał, niesłusznie oceniał jako niezbyt groźny. Było to coś zrodzonego w umyśle, ale raczej wyczuwalnego niż widocznego, a mimo to pochodzącego z całkowicie fizycznego źródła. Och, z pewnością dość groźnego. Wszystko choćby luźno związane jest z latrami, ale jednocześnie pogrążone w jakimś rozbrajająco sennym bezwładzie, hipnotycznym śnie, z którym Garth, inni wartownicy i być może nawet większość całego klanu jako całość tak mocno się… jak to powiedzieć?… oswoili, że istotnie zaczęli to lekceważyć… albo jeżeli nawet nie lekceważyć, to przynajmniej jakoś aprobować albo uznawać za nieuniknione.

Donald Myers kiwał głową ze zrozumieniem.

– No tak, widzę, że zdecydowanie czułeś to samo! I ja też tak mam, często, i przeważnie to ignoruję, przynajmniej do dziś, bo dziś to się… zmieniło!

– Poruszenie, tak – powiedział Garth w zamyśleniu. – Ale czyż o tym nie wiemy, nie jesteśmy go świadomi, i to już od dłuższego czasu, przynajmniej tygodnia albo dłużej? Nie opowiadaliśmy o tym w jakiejś mierze Big Jonowi Lamonowi i innym starszym? Czyż nie wszyscy o tym wiedzą ? – Teraz wyglądało, jak gdyby sprzeczał się sam z sobą!

– Tak, tak! – niecierpliwie odpowiedział Myers. – Ale to było wtedy, kiedy te cholerstwa tylko nas obserwowały, śledziły i w dupie miały wszystko inne! Wydaje mi się, że to może dlatego, że było ich za mało do przeprowadzenia ataku, ale…

– Nie ostatnio! – powiedział Garth, przerywając mu. – Wyczułem, że jest ich mnóstwo, moim zdaniem o wiele za dużo! I do tego rosną w siłę, zbierając posiłki, jak tak podążają za nami, jednak oczywiście mogę się równie dobrze mylić, bo według mnie nawet jeden to już za dużo! – Rzeczywiście, o jednego za dużo, zwłaszcza o tego konkretnego, który zagnieździł się w najciemniejszych zakamarkach jego umysłu! – A w każdym razie brak przewagi liczebnej, nawet gdy została ich tylko garstka, nigdy dotąd ich nie powstrzymywał. Ale Don, co mówiłeś o zmianie? Co zdarzyło się dzisiaj wieczorem, że jesteś tak podekscytowany?

– Podekscytowany, ja? – Myers wyglądał na zaskoczonego. Uważał, że w żadnym wypadku eksycytacja nie przychodzi mu łatwo, i u innych też tego nie lubił. – Skąd, nie tyle podekscytowany, ile czuję, jakbym się dopiero co obudził… – Przerwał na moment, by wybrać najlepszy sposób ujęcia tego w słowa, a potem powiedział: – To był jeden z moich nowych chłopców, „ochotnik" Big Jona Lamona, na swojej pierwszej warcie nocnej, i do tego może trochę bardziej nieśmiały niż reszta. Mniej więcej godzinę temu byłem u niego i jego partnera, jednego z moich ludzi. Zobaczyłem, że naskakują na siebie, jak nerwowe myszy z Southern Refuge, kiedy koty wybierały się na łowy.

Nerwowe! Myśli Gartha powędrowały do rozmowy z Davisem i Carterem sprzed dwóch godzin, a zwłaszcza do Cartera, i nagle całkowicie oprzytomniał.

– Aha, więc mieli jakiś problem – powiedział. – Ale co to było?

– Nie tylko oni, ale teraz także i ja! – odpowiedział Myers. Mówił dalej: – To był ten młody. Przysięgał, że coś zobaczył w nocy i sprzeczał się z Tomem Griffinem, starszym gościem, którego znam od lat i który jest twardy jak skała, że powinni uderzyć na alarm! Ale stary Griff, z tym swoim bagażem doświadczenia, twierdził, że to za mało, bo sam niczego nie widział. I jak tak się z nimi sprzeczałem, dzieciak powiedział: „Popatrzcie!". No to popatrzyliśmy…

Garth poczuł dreszcz biegnący mu w dół po kręgosłupie.

– I co zobaczyłeś?

– Ruch! – odpowiedział tamten. – Tam, gdzie mgła sięgała poza krawędź ciemności, tam się ruszały!

– Latry! – Garth z trudem wydobył z siebie słowa, a Myers skinął głową.

– To musiały być one – powiedział. – A jednak nawet teraz nie mogę być tego pewny! Mimo że, a może właśnie dlatego, że nie tylko je widziałem, ale też czułem, jak gdyby były w mojej głowie! Ten płynny ruch, te przesuwające się upiorne kształty, ten powiew obdartych kształtów, szamocących się pośród nocy, prawie niepatrzących na nas… Ale kiedy spojrzały, ich oczy zalśniły w oddali jak świetliki, szybko przykryły się powiekami, a potem odeszły, jakby unoszone przez mgłę lub jakby same były jej częścią albo na niej jechały! W jednej chwili były tam, a potem… potem tylko zawirowała w tym miejscu mgła, a one odeszły!

– Ale dokąd? – Garthowi zaschło w ustach aż do żołądka. – W którym kierunku? – I zanim zdążyła paść odpowiedź, sam sobie odpowiedział z całkowitą pewnością: – Na północ! No tak, teraz obudziłeś także mnie. Donald, jestem pewny, że je widziałeś i wyczułeś: latry! Nie wystarcza im już śledzenie konwoju, ruszają na północ, żeby dotrzeć tam przed nami!

Wtedy Garth zorientował się, że nie ma już potrzeby rozmawiać z Gavinem Carterem. Wiedział już, co zobaczył Carter, a nawet co… co mógłby od niego usłyszeć.

* * *

Jednak gdy tylko nastał kolejny świt i słońce rozświetliło aż po horyzont oślepiająco niebieskie niebo, pojawili się ludzie, z którymi Garth musiał porozmawiać. I tak, gdy zwolnił już swój oddział, natychmiast odszukał ojca i lidera klanu.

Razem z Donaldem Myersem znalazł Zacha i Big Jona zajętych najwidoczniej jakąś ponurą rozmową. Jednak kiedy zobaczyli dowódców nadchodzących z poważnymi minami, przerwali rozmowę i przygotowali się, by ich wysłuchać.

Z szacunku dla starszeństwa Myersa Garth trzymał język za zębami i pozwolił mu opowiedzieć, co się wydarzyło tej nocy, a potem potwierdził to słowo w słowo. Ale gdy tylko skończył, popatrzył na Zacha tak, że ten od razu go zrozumiał. Miał jeszcze coś do powiedzenia i najlepiej, żeby to było w cztery oczy, przynajmniej na razie.

– Tak – powiedział lider klanu, kiedy Garth skończył. – Oznacza to, że przemieszczają się przed nami i w miarę drogi rosną w siłę. Tak jakby mało nam było złych wieści! Kiedy zobaczyłam, jak tu idziecie, miałem nadzieję, że nie przynosicie mi nowych problemów, ponieważ mam dość moich własnych. W każdym razie powiedzmy sobie otwarcie, że fakt, że latry lecą na północ, nie dowodzi, jakoby były nami szczególnie zainteresowane. Przecież nas jeszcze nie zaatakowały, co nie? A kto wie, dlaczego tam lecą, albo w ogóle dlaczego robią cokolwiek. Zostawię to, bo dużo innych spraw mam na głowie! Idźcie już lepiej odpocząć i wielkie dzięki za nic!

Ale wtedy, jak gdyby nagle, zrozumiał, że niewiele mogą zrobić oprócz opowiedzenia mu o swoim odkryciu. Big Jon dodał:

– Zaczekajcie! Jest takie mądre powiedzenie, które zakazuje zabijania posłańca przynoszącego złą nowinę. Albo w tym wypadku okazywania mu niewdzięczności! Przecież o wiele lepiej wiedzieć, skąd wieje wiatr, niż dać się mu zdmuchnąć, jak zamieni się w burzę! Tak, pomimo nieco niepewnej natury waszego raportu w dalszym ciągu muszę wam podziękować za zwrócenie na to mojej uwagi. Teraz idźcie i prześpijcie się trochę.

Na to Zach powiedział:

– Garth, zostań, jeśli możesz. Zamieniłbym chętnie kilka słów z tobą. – A potem zwrócił się do Myersa, który wyglądał na trochę zaintrygowanego i nadal zaskoczonego odpowiedzią lidera: – To sprawa osobista, Don, rozumiesz, ojciec i syn…

– Tak, oczywiście – odpowiedział tamten, przyjmując wytłumaczenie Zacha wzruszeniem ramionami, i poszedł w swoją stronę.

Big Jon Lamon też chciał iść do swoich spraw, ale Zach zatrzymał go, mówiąc:

– Jon, może zechcesz przy tym być. Bo wydaje mi się, że Garth ma coś jeszcze na myśli.

– Raczej w myśli! – powiedział Garth i zaczął wyjaśniać swoje zmartwienie: – Prawda jest taka, że jestem bardziej pewien niż kiedykolwiek, że Ned Singer tam jest i że on chce dopaść zarówno mnie, jak i Laylę, nie wspominając już o reszcie klanu! Mnie chce zabić, jeśli mu się uda, a Laylę... wiesz, co mam na myśli.

Big Jon zmarszczył brwi i powiedział:

– Zastanawiałem się trochę nad tym, co mówiłeś poprzednio. A choć to było bardzo ważne i oczywiście dostosowaliśmy do tego nasze postępowanie, nadal nie mogę pozbyć się przekonania, że za bardzo się tym przejmujesz, czy też raczej za bardzo wyolbrzymiasz swoje obawy. Powiedzmy sobie szczerze, Garth, zmartwiło cię to, że latry nas nie atakują! Nie sądzisz więc, że może wyolbrzymiasz trochę problem, stawiając się w centrum tego, co się dzieje, i robiąc wiele hałasu o...

– Czekaj! – krzyknął Zach i od razu dodał: – Przepraszam, stary druhu, ale powinniśmy go wysłuchać. Znam mojego syna prawie tak dobrze jak siebie i jeżeli on coś ma do powiedzenia...

– Właśnie tak! – powiedział Garth. – Och, nie mogę udowodnić tego, co czuję, co, jak myślę, dzieje się wokół lub wkrótce się wydarzy, więc może powiem tylko, że to nie pierwszy raz tak się dzieje, bo gdyby to było pierwszy raz, to w ogóle nie byłoby tej rozmowy czy raczej kłótni!

– Co? – Big Jon spojrzał na niego groźnie, a nastrój błyskawicznie mu się pogorszył. – Mówisz o kłótni? Ale ja się nie kłócę, Garth, ja rozkazuję! A co więcej, myślę, że poza wszystkimi twoimi problemami za bardzo lubisz zagadki! Bo po prostu nie rozumiem, dlaczego...

– Sir! – przerwał mu Garth, co gdyby nie chodziło o niego albo o Zacha Slattery'ego, byłoby w każdych innych okolicznościach uznane za niewybaczalną nieuprzejmość. – Sir – powtórzył Garth ciszej – jest ważny powód, dla którego być może nie rozumiesz. Sądzę, że wydaje się prawdopodobne, że twoje własne, ogromne zmartwienia w połączeniu z tą grozą, która się wokół nas rozgrywa, mąci twoje myśli i odciąga je od tego, co zawsze było i nadal jest największym niebezpieczeństwem!

A gdy Big Jon stał tam, coraz szerzej otwierając usta i nabierając coraz intensywniejszych kolorów. Garth szybko mówił dalej:

– Największe możliwe niebezpieczeństwo, tak, czyli oczywiście latry! Latry, które zaprzątają moje i twoje myśli, a może nawet myśli wszystkich członków klanu! A jeśli nawet nie teraz, to na pewno każdej nocy!

Przez niekończącą się chwilę Big Jon wpatrywał się to w Gartha, to w Zacha, a potem znów spojrzał na Gartha. W końcu zamknął usta i warknął:

– Więc latry są w naszych umysłach, co? To jest ta groza, która się tu rozgrywa, tak?

– Proszę, posłuchaj! – powiedział Garth. – To jest zrozumiałe, że twoim zdaniem przesadzam, martwiąc się niepotrzebnie o siebie i moją młodą żonę. Też tak myślałem, co może potwierdzić mój ojciec, dopóki z nim wczoraj nie porozmawiałem i nie usłyszałem od niego czegoś, czego wcześniej nie wiedziałem i o czym od tamtej chwili nie mogę przestać myśleć. Być może lepiej mnie zrozumiesz, jeżeli przypomnę nazwisko: Jack Foster!

Big Jon dalej miał zmarszczone brwi, ale wrócił mu normalny kolor na twarzy. Zmrużył oczy, powoli skinął głową i powiedział:

– Tak, mów dalej.

– Ale nie rozumiesz? – powiedział Garth. – To co przydarzyło się Fosterowi, dzieje się teraz. To ta sama przerażająca historia… tylko teraz jest w niej jeszcze ten nikczemnik Ned Singer!

A kiedy znów przerwał, lider klanu powiedział:

– Mów dalej, Garth, powiedz wszystko.

– Jack Foster był samotnikiem – kontynuował Garth. Nikt go specjalnie nie lubił, nawet ty czy mój ojciec ani inni zbieracze. Być może on nie lubił nawet samego siebie, skoro uznał się za równego latrom! Nie funkcjonował dobrze w zespole, tak jak te potwory w zrujnowanych miastach, a przynajmniej w głębi tak mógł myśleć. Być może z czasem bardziej znienawidził klan niż latry! Chodzi mi o to, że powtarzał przecież, że nie są takie złe, jak się je bliżej pozna. Sądziliście, że Jack żartuje, ale co, jeżeli po prostu wdarły się one do jego umysłu?

Jon jeszcze bardziej zmarszczył brwi.

– Powiedziałeś, że twoim zdaniem latry wdarły się do umysłów wszystkich, czyli także do mojego?

– Tak – odpowiedział Garth – tylko że niektórzy z nas mają mniej problemów niż ty i dlatego są tego bardziej świadomi. Jak ja na przykład czy tych dwóch nowych, którzy odbywali pierwszą służbę zeszłej nocy. Ale jeżeli Gavin Carter i ten drugi chłopak, który był z Donaldem Myersem, nie powiedzieli nikomu, co czuli, co widzieli… to zastanawiam się, czy ktoś to jeszcze zauważył.

Big Jon zmarszczył wargi, podrapał się po podbródku i powiedział:

– Widzę, do czego zmierzasz. Ale Garth, są dziury w tej twojej teorii. Na przykład o ile to możliwe, że Jack Foster czuł się jakoś spokrewniony z latrami, że postrzegał je jako niezrozumiane stworzenia, podobne do siebie, to Ned Singer był odporny na takie fantazje. Przecież zabił ich więcej niż ktokolwiek inny w ciągu ostatnich pięciu lat! Poza tym bardzo trudno uwierzyć, aby Ned miał umysłu jakoś specjalnie chłonny. Znałem Singera całe lata i nie był z niego wielki myśliciel, tak naprawdę to był tępakiem! Och, jestem pewny, że znał się na swojej robocie, ale jeszcze lepiej znał się na znęcaniu się nad ludźmi, kradzieżach, pijaństwie i kradzieży alkoholu!

– I prawdopodobnie też na mordowaniu – dodał półgłosem Zach.

– Prawdopodobnie też – zgodził się Big Jon – chociaż nigdy mu nikt tego nie udowodnił. Chodzi o to, jak ten bandzior miałby nagle zostać obdarzony tak zadziwiającymi władzami umysłu, że umiałby wedrzeć się do umysłu innej osoby?

– Ale czy jego tępota nie ułatwiłaby mu tego? – zaprotestował Garth. – A pewnie pamiętasz, że nienawidził nas, a zwłaszcza mnie? Przypomnij sobie, jak nas wyzywał od najgorszych i jak dokuczał nam, że nie mamy żadnych przyjaciół ani sojuszników? Cóż, teraz znalazł mnóstwo przyjaciół i sojuszników i nie musi specjalnie się wysilać, żeby jego mózg dostosował się do ich spaczonych mózgów. Nie, bo teraz ma wsparcie latrów, ich wampirzej mentalności!

– Twój argument jest… ważny – powiedział Big Jon po chwili milczenia. A Zach dodał:

– A pewnie, że tak, do jasnej cholery! Bo w tym, co mówi mój syn, jest prawda, której nie mogą zaprzeczyć nawet zmącone umysły!

Big Jon był teraz spokojniejszy i o wiele bardziej zamyślony. Nagle uświadomił sobie, że jego stary przyjaciel Zach Slattery miał rację i że istotnie jako lider powinien bardziej, i to znacznie bardziej, przejąć się tym, co Garth wskazał jako nowe, wielkie zagrożenie, którym okazały się te dziwnie małomówne, zagadkowo bezczynne latry.

Czy w takim razie Garth miał rację? W każdym razie najlepiej byłoby pozwolić mu mówić dalej, bo oczywiste było, że zaniepokojony młody człowiek stojący przed nim jeszcze nie skończył.

A Garth, jak gdyby poznał tajemnice w jego myśli, kontynuował cierpliwie:

– Sir, z największym szacunkiem, wiemy, że ty i mój ojciec macie w zwyczaju cytować te stare powiedzenia pochodzące jeszcze sprzed wojny, sprzed rozpoczęcia życia pod ziemią. Więc Ned Singer miał swoje własne powiedzonko. Pracowałem z nim i najlepiej pamiętam jedno, bo użył go, kiedy zbliżaliśmy się do podejrzanego gniazda, na parkingu w zrujnowanym mieście z kościołem i studnią: „Powoli, małpko, powoli”.

Garth zamilkł na chwilę, aby zebrać myśli.

– Mów dalej – odezwał się Big Jon, ale teraz o wiele ciszej. – Na marginesie też znam to powiedzonko. To przysłowie używane przez dawnych myśliwych, którzy doradzają ukrycie się, jeżeli chce się upolować zdobycz z zasadzki, bezszelestnie za nią podążając.

– Właśnie – odpowiedział Garth. – Tak jak Ned i latry skradają się teraz za nami, poza tym, że w wypadku mnie Ned zdaje się zapominać o tym porzekadle, ponieważ siła jego nienawiści, jego pragnienie, żebym znał jego zamiary i wiedział, że mój los spoczywa w jego rękach, sprawiła, że pokazał mi się we własnej osobie tamtej nocy, a także wtedy, kiedy jego dziwna mentalność latra nakazuje mu wciskać się do moich snów!

– Uważasz, że Ned używa tych potworów – warknął Big Jon.

– Nie bardziej niż one używają jego! – odpowiedział Garth. – I nie bardziej niż one używały Jacka Fostera…

– W takim razie – lider klanu przygryzł górną wargę – choć nie jestem nadal w pełni przekonany, ale zakładając, że macie rację, a także dlatego, że przewidujesz zasadzkę, ale głównie ponieważ nie mogę pozwolić sobie na to, aby stwierdzić, że się mylisz, to co mamy twoim zdaniem zrobić?

Garth potrząsnął głową.

– Sir, przedstawiłem ci problem, ale nie jestem w stanie dostarczyć rozwiązania. Już podwoiłeś nasze procedury bezpieczeństwa i nie sądzę, że pomogłoby nam rzucenie jeszcze większej liczby niedoświadczonych ludzi na wartę. Ale jako środek zapobiegawczy mogłoby się sprawdzić spuszczenie psów z łańcucha i rozstawienie ich w równych odległościach wokół stanowisk wartowników, poczynając od dziś. I… to wszystko! Nie mogę wymyślić niczego innego, poza tym może, że warto byłoby poinformować wszystkich strażników o zagrożeniu, żeby umieli walczyć z niebezpieczeństwem, które grozi nam w każdej chwili. I powinno to być zrobione teraz, zanim zacznie się warta, bo to najlepszy sposób na utrzymanie czujności i gotowości.

– Dzisiejsza warta? – zapytał Big Jon. – Tak szybko?

Garth skinął głową.

– Och tak, zdecydowanie. Bo dziś brakowało kogoś bardzo ważnego w tej lecącej na północ kolumnie latrów, którą widziałem w nocy. A poza tym po rozmowie z ojcem udało mi się zasnąć. Był to bardzo długi, niczym niezakłócony sen! Dlatego teraz ciągle się zastanawiam, czy Ned nie próbuje mnie podejść jakoś łagodniej i czy to nie jest ostatnia faza jego podchodów!

– Cóż – powiedział Big Jon. – Zamiast poprzestać na sugestiach odwaliłeś za mnie całą czarną robotę! W takim razie bardzo dobrze, Garth, możesz uznać to za wykonane, mimo że czeka na mnie miriady innych zadań. – Westchnąwszy, szeroko rozłożył ramiona, żeby unaocznić bezczynność konwoju. – A jeden tylko dobry Bóg wie, że będę musiał znaleźć na nie wszystkie czas!

Marszcząc brwi, Garth rozejrzał się dookoła, a potem zerknął na słońce, które niestrudzenie wspinało się po niebie. Jednak zanim zdążył zadać oczywiste pytanie, ojciec uprzedził go:

– Tak, słusznie wspomniałeś o ogromnych problemach lidera, a najnowszy stanowi odpowiedź na pytanie, dlaczego jeszcze nie wyruszyliśmy w drogę.

– Istotnie – powiedział Big Jon szorstko. – Czy zdajesz sobie sprawę, jak niewiele mil przebyliśmy w ciągu ostatnich dwunastu dni? Nie? Dobrze, powiem ci: okazuje się, że średnio przemierzamy najwyżej siedem mil dziennie! Jest to spowodowane głównie awariami pojazdów, strumieniami, bagnami i wąwozami, które musimy pokonać albo obejść, zrujnowanymi i podejrzanymi miastami, których musimy unikać, kilkoma pogrzebami – Boże, daj im wieczne odpoczywanie – wodą, którą musimy czerpać ręcznie z nielicznych czystych źródeł, i co zakrawa na cud, całkiem niezłym paliwem, które znalazła grupa poszukiwawcza, ale którego ściągnięcie z nieco oddalonej stacji paliw zajęło trochę czasu. I choć nie mogę powiedzieć, żeby te dwie ostatnie sprawy mnie zmartwiły, to wciąż wszystko to razem wzięte zajmuje nam wiele czasu. A jeszcze, skoro straciliśmy radio, nie wiem, jak daleko są od nas nasi kuzyni z północy, ani nawet czy ciągle jeszcze chcą się z nami połączyć!

A co do problemów z dzisiejszego poranka to kolejny wóz ma silnik zapchany zanieczyszczoną ropą! Mam oczywiście mechaników, którzy nad tym pracują, ponieważ nie możemy pozwolić sobie na utratę kolejnych pojazdów. Każdy kolejny odpadający z eksploatacji sprawia, że pozostałe są coraz bardziej obciążone, a przez to podatniejsze na awarie! Przysięgam, niewiele więcej trzeba, żeby ściągnąć na człowieka szaleństwo, o ile już nie oszalałem!

– Przykro mi, że dołożyłem ci jeszcze problemów – powiedział Garth.

– Mnie także! – powiedział lider klanu. – Ale dość tego! Muszę coś na to wszystko poradzić. A tym czasem jestem pewien, że twoja śliczna żona zastanawia się cały czas, co mogło się z tobą stać. Wyglądasz na bardzo zmęczonego, Garth, więc będąc na twoim miejscu, miałbym pokusę, żeby zignorować albo nawet wykorzystać problemy innych. Tak, wolałbym pilnować swoich spraw i pozwoliłbym sobie na odrobinę solidnego wypoczynku, o ile mógłbym to zrobić.

Była to dobra rada, z której Garth natychmiast skorzystał…

11

Raz jeszcze Garthowi udało się pospać nieprzerwanym snem, przynajmniej do wczesnego popołudnia, kiedy Zach poprosił Laylę, która była już na nogach, aby go obudziła. Big Jon chciał mieć Gartha pod ręką, bo przemawiał teraz do licznie zgromadzonych członków straży nocnej. Zostawił sobie to zadanie na koniec, żeby wartownicy mogli się nacieszyć zasłużonym odpoczynkiem. Nadal jednak była to grupa ludzi wyglądających na bardzo zmęczonych, a lider przemawiał do nich, podkreślając możliwe zagrożenie i zachęcając do wzmożonej czujności.

Garth wówczas wprowadził ich w szczegóły, ostrzegł ich też, aby wszystko, co usłyszeli, zatrzymali dla siebie. Chodziło o to, żeby nie było niepotrzebnego zainteresowania czy nawet paniki wśród podróżników. Ale końcowa rada, której udzielono po to, aby wzmocnić to, co im dotąd powiedziano, polegała na tym, aby teraz, udając się na wartę, upewnili się, że wzięli najlepszą broń i amunicję ze szczupłych rezerw, jakie pozostały w arsenale konwoju. I o to w gruncie rzeczy chodziło.

Zrobili to w samą porę, bo strażnicy zaczęli już zajmować stanowiska, półgłosem wymieniając hasła i odzewy, rozglądając się wokół ostrożnie i pogrążając w zamyśleniu. Zaledwie chwilę później główny mechanik Ian Clement przyszedł z wyraźnym pośpiechem do wozu Big Jona, by przekazać mu pewną znakomitą wiadomość.

Jeszcze brudniejszy niż zazwyczaj, z obszarpanym kombinezonem i prawie nierozpoznawalną twarzą, z rękami obryzganymi gęstym, czarnym olejem, czerwony od rdzy Clement bez tchu spytał lidera klanu:

– I co, Big Jon, słyszysz?

– Co mam słyszeć? – odpowiedział tamten, zanim zdał sobie sprawę, że faktycznie coś słyszy, jakiś dźwięk z tyłu, w połowie długości kolumny poskładanych z różnych części i zdezelowanych pojazdów: gardłowy ryk i przerywany warkot silnika!

A teraz główny mechanik uśmiechał się od ucha do ucha, mówiąc:

– Postawiliśmy to na nogi, a jeśli nie na nogi, to przynajmniej na felgi! Tylko daj mu chwilkę, żeby to przyzwoite paliwo, które znaleźliśmy, rozpuściło zatory i zbrylenia, silnik powinien wkrótce się uspokoić.

– Wóz? – Big Jon chwycił rękę Clementa i natychmiast ją wypuścił, by wytrzeć własną o jego brudny kombinezon. – Na Boga, ale jesteś brudny! – powiedział. – Ale to bardzo piękny brud! Czy w takim razie możemy ruszać w drogę?

Główny mechanik skinął głową.

– Nie widzę przeszkód, o ile inne pojazdy nie psocą. Ale chciałbym cię ostrzec, jeżeli jeszcze tego nie wiesz, że niektóre są w takim sobie stanie. Niektóre nie pociągną zbyt wielu mil! Jeśli chodzi o ten, który właśnie naprawiliśmy, to stracił dwa ze swoich dziesięciu cylindrów i jedzie teraz, czy też raczej pełza, na ośmiu. Ale jeśli nie będziemy go męczyć, powinien dać radę, choć nie umiem powiedzieć, jak długo jeszcze.

Kiwając poważnie głową, lider klanu powiedział:

– Wiem, że zrobiłeś, co mogłeś, Ian, i w imieniu swoim i całego klanu dochodzę do wniosku, że muszę ci raz jeszcze podziękować. Proszę, przekaż swojemu zespołowi te podziękowania.

Kiedy główny mechanik odszedł, Big Jon zawołał posłańca i po jego przybyciu powiedział mu:

– Leć, chłopcze, tak szybko, jak dasz radę, na sam dół i powiedz im, że mają piętnaście minut na spakowanie się i załadowanie na wozy. Za chwilę wyruszamy…

* * *

Konwój wytrwale szedł na północ, ale teraz odbywało się to bardzo powoli. I nawet kiedy trafili na dziurawą, zarośniętą krzewami i girlandami jeżyn drogę, poruszali się niewiele szybciej. Ale mogło być gorzej, wskaźniki promieniowania były tak niskie, główny technik Andrew Fielding zaczynał mieć wątpliwości co do swoich instrumentów, a szefowa upraw hydroponicznych

Doris Ainsworth z obłędem w oczach opowiadała o urodzie i ilości zieleni otaczającej trasę.

Blisko starodawnego gospodarstwa rolnego, którego kamienne budynki uginały się pod ciężarem lat i szalejącego bluszczu, znajdowało się pole ze zdziczałymi roślinami i sadami pełnymi jabłoni, których wczesne owoce już dojrzewały na bujnych, ciężkich gałęziach. Pięciominutowy postój pozwolił ludziom zebrać naręcza dobrego, słodkiego jedzenia i zaraz potem znów ruszyli w drogę.

Mniej niż milę dalej był ogromny szpaler dębów z jednej strony drogi, ale podróżnicy nigdy w życiu nie wyobrażali sobie nawet niczego podobnego! Zagajnik, chociaż to nie było pewnie właściwe określenie, miał może dwa akry powierzchni i był cały napakowany drzewami, które wznosiły się tam wysokie na trzydzieści metrów, widocznie współzawodnicząc ze sobą o przestrzeń i światło! W gęstym, bujnym zewnętrznym baldachimie konarów kwaterowała ogromna kolonia ptaków, a setki ogromnych, połyskujących wron broniło swoich gniazd hałaśliwymi krzykami, niektóre z nich nawet atakowały kolumnę, starając się spłoszyć hałaśliwych intruzów…

* * *

W środku popołudnia, kiedy lider zarządził zwyczajowy krótki postój, jakiego wymagały organizmy podróżników, Doris Ainsworth przyszła cała rozgorączkowana, aby z nim porozmawiać.

– Te drzewa i cała ta okolica – powiedziała mu – cała ta zieleń, Jon, mówię ci, że to nie jest naturalne! Poziomy promieniowania spadły, wiem, ale nadal to wszystko rośnie jak jakieś mutanty, można je wręcz nazwać nowymi gatunkami! W ciągu mniej więcej ostatnich stu mil to, co nazywaliśmy nieurodzajnymi ziemiami, zmieniło się w to, co teraz widać, ta różnica jakości ziemi i oczywista żywotność tego bujnego, czystego wzrostu, całej tej wegetacji, to jest naprawdę zadziwiające! I jeżeli te zmiany będą postępować, w miarę jak będzie bliżej północy, wtedy chętnie uwierzę w ten raj, o którym mówili nam tamci przez radio, że są do niego już przyzwyczajeni! A gdyby nie strach przed latrami, moglibyśmy nawet zbudować tu domy i osiedlić się choćby tam, gdzie było to walące się stare gospodarstwo rolne, a równie dobrze i tutaj, właśnie teraz, gdzie już nigdy nikomu niczego by nie zabrakło! To znaczy może schronienia, następnej zimy, ale na pewno nie dobrego jedzenia! Och, a przy okazji, spróbuj jednego z tych jabłek. Nie jest jeszcze całkiem dojrzałe, ale mięsiste, intensywne w smaku i absolutnie przepyszne!

– Dziękuję – powiedział jej Big Jon. – Tak i ja również żałuję, że istnieją takie rzeczy jak latry, ale niestety, istnieją naprawdę! Proszę się więc nie dzielić z nikim swoimi sugestiami, są tacy, którzy będą na tyle głupi, aby ich posłuchać... tylko po to, aby przypłacić je życiem w czasie pierwszego ataku, albo jak tylko skończy im się amunicja.

– Ach! – odpowiedziała kobieta, szybko mrugając oczami i starając się wycofać z tego, co powiedziała wcześniej. – Nazwałeś to sugestią? Z trudem... a właściwie zupełnie nie! To było zaledwie takie gdybanie, nic więcej.

– Oczywiście, że tak – odparł. – A gdyby świnie umiały latać?

Ale Doris już wracała na swoje miejsce w konwoju. Przyglądając się jej odwrotowi, Big Jon odgryzł kęs jabłka, z namysłem przeżuwał je przez chwilę, a potem wypluł.

Było zbyt gorzkie jak na jego gust i czuł, że miałby po nim wiatry. Zresztą był już najwyższy czas iść, więc wspiął się na swój zardzewiały wóz.

* * *

Jakieś trzy godziny później, przedzierając się przez bujnie porośniętą dziką, ale kwitnącą roślinnością okolicę, konwój mógł patrzeć w dół na szeroką dolinę oferującą zupełnie odmienne widoki. Droga niemal zupełnie zanikła, wskutek działania czasu, pogody i rozrastających się zarośli jej betonowo-asfaltowa powierzchnia ukryła się pod gęstymi warstwami jeżyn, ale nadal prowadziła stromo do dna doliny, gdzie biegła niemal równolegle z szeroką rzeką, której źródło leżało gdzieś poza zamglonym północnym horyzontem. Na wschód od dawnej drogi ukształtowanie terenu kierowało wodę na dalsze regiony, ale trochę mniej niż dwie mile stąd, w kierunku północnym, przed tym rozwidleniem bliźniacze mosty oddalone od siebie o pół mili przepasywały nurt rzeki. Teraz ich na pół zanurzone w wodzie szkielety tworzyły zapory, na których woda piętrzyła się, nabierając szybkości i energii, tworząc lśniące w słońcu wiry, a potem spływając niżej, by pojawić się na południowej stronie w gwałtownie zakręcających wirach i bulgocącej pianie.

Na wschód od rzeki i prawie bezpośrednio przed konwojem wyraźnie było widać pozostałości średniego miasta. Dominowały w nim ruiny, ale wciąż oferowało sporo miejsca, na przykład w trzy- i czteropiętrowych budynkach nad brzegiem rzeki, które prawdopodobnie były młynami wodnymi, napędzającymi elektrownię. Większość ich pozbawiona była dachów, w innych zarwane były całe piętra.

Oddalony od rzeki terminal przebiegającej przez miasto linii kolejowej pozostał w zasadzie nietknięty, a tory jak strzała prowadziły na wschód przez zrujnowane przedmieścia. Mniej więcej w połowie odległości, do której sięgało na wschód nieuzbrojone oko, leżały wagony pociągu, położone na boku niczym zabawki rozrzucone po pokoju. W podobnej odległości, ale mniej więcej milę od tego wraku, znajdował się wielki krater mający niemal ćwierć mili średnicy i będący w samym środku całkowitego zniszczenia. Tak naprawdę to oprócz tego wyblakłego krajobrazu księżycowego nic nie zostało do oglądania: tylko ta odległa niecka ze swoim płytkim jeziorem, gdzie pomimo upływu czasu niebiesko-zielone algi znalazły sposób, aby tam przeżyć, a nawet zakwitnąć. Na zewnątrz krateru wznosiła się obręcz, wypalony na kształt gwiazdy rysunek symetrycznych białych promieni, odcinających się od sczerniałego rumowiska i pustki zajmującej miejsce tego, co kiedyś było niewielką wioską...

– No i tyle, jeśli chodzi o wschód – wymamrotał ponuro do siebie Big Jon Lamon, obserwując dolinę z wieżyczki zamontowanej na swoim wozie. – A dokądkolwiek ostatecznie pojedziemy... – potrząsnął głową, po czym kontynuował z determinacją – to zdecydowanie nie będzie w tym kierunku!

Natomiast na zachodzie sytuacja przedstawiała się tak…

Domy i inne budynki na skutek wybuchu, wyburzenia albo pożaru szybko obracały się w gruz i popiół. Ale drzewa, listowie i ogólnie cała zieleń, choć też cierpiały na skutek zdarzających się co jakiś czas katastrof, to miały tendencję do odradzania się. Znów odrastały, i to szybko, często rozrastały się ponad miarę i zasłaniały gruz i popioły. Tutaj na zachodnich krańcach tej doliny jednak, czy to zgodnie z teorią Doris Ainsworth o promieniowaniu jądrowym i mutacji, czy też po prostu wskutek ewolucji w środowisku radykalnie zmienionym brakiem człowieka i jego niszczycielskiej działalności, tutaj, zieleń rosła coraz wyżej i wyżej, i nie przestawała rosnąć!

To zresztą okazało się regułą w okolicy zachodniego brzegu rzeki, gdzie zapomniana droga czy też raczej jej zatarty i mało widoczny zarys w dalszym ciągu podążał równolegle do rzeki aż po zawalone bliźniacze mosty… a wtedy znikał zupełnie pod kobiercem ogromnego lasu!

Jon przyglądał się temu z rozdziawionymi ustami. Mimo że wcześniej uznał las dorodnych dębów i kolonię lśniących w słońcu wron za zadziwiające, teraz musiał raz jeszcze zastanowić się nad poprzednią oceną. Zobaczył bowiem poniżej w dole na brzegu rzeki naprzeciwko zrujnowanych mostów coś, co rozprzestrzeniało się po zboczach na cztery lub pięć mili na zachód, równocześnie rozciągając się i pokrywając dno doliny aż po kres północnego horyzontu… i to było naprawdę zadziwiające! Naprawdę przez długie chwile mógł tylko się wpatrywać i w milczeniu, wręcz z trudem i niewiarą, podziwiać ogrom tego piękna!

Na tej wysokości i przy takiej odległości ryzykowne były nawet same próby odgadnięcia faktycznej wysokości albo obwodu największych mieszkańców tego ogromnego wiecznie zielonego lasu, ale Big Jon starał się to jakoś oszacować. Te potężne jodły musiały mieć wszystkie pięćdziesiąt albo nawet i sześćdziesiąt metrów wysokości. A ich korony tworzyły warstwę tak gęstą, że widoczne było tylko kilka prześwitów, a żaden z nich nie był wystarczająco duży, żeby wskazywać obecność jakiejś większej polany.

Dalej z fascynacją patrząc na ten olbrzymi las, szybko zrozumiał jedną niezaprzeczalną prawdą: że jeśli nie było sporo wolnej przestrzeni pod baldachimem drzew, między tymi ogromnymi pniami i pod niższymi gałęziami, gdzie światło słoneczne na pewno już nie dochodziło i poszycie nie mogło się rozrastać, to nie ma ani nigdy nie było na ziemi takiej potęgi, która mogłaby się przebić przez ten las. Z całą pewnością nie mogły tego dokonać zdezelowane wozy konwoju i wszelkie inne pojazdy, które z trudnością poruszały się nawet teraz po pozostałościach starych dróg, a co dopiero mówić o zielonych bezdrożach!

Ale z drugiej strony kto mógłby być tego pewien? Z tej odległości pozory mogłyby równie dobrze wprowadzać w błąd, zawodząc nawet potężne soczewki… Ale czy naprawdę? Jednak pomimo poważnych wątpliwości w tej kwestii nawet po opuszczeniu lornetki Big Jon powtarzał sobie, że zawsze jest nadzieja…

Przez to wszystko kolumna pozostawała w miejscu przez jakąś minutę i kiedy lider obserwował teren daleko przed sobą, garstka ludzi podeszła do niego, żeby przekonać się, w czym problem. Jednym z nich był szef mechaników Ian Clement, który patrząc w kierunku wskazanym przez zmartwione, pełne skupienia spojrzenie Big Jona, sam popatrzył w głąb doliny i uznał, że tamtędy miała wieść ich dalsza droga. W tym samym momencie, jakby czytając wodzowi w myślach, powiedział:

– Big Jon! – jęknął i potrząsnął głową. – Już jedno szybkie spojrzenie w dół mówi mi, że jesteśmy naprawdę w kłopocie. I tak faktycznie jest! Pojazdy ledwo sobie radzą tam, gdzie są teraz, a co dopiero w tej zielonej gęstwinie? Chodzi o to, że…

– Wiem, o co chodzi! – warknął lider klanu, a jego rozmówca natychmiast zamilkł. – Więc proszę, uspokój się, Ian, i pozwól mi myśleć…

Wtedy właśnie Zach Slattery przyszedł na górę, nieco utykając. Niewielka grupa niepokojąco cichych starszych członków klanu zrobiła mu przejście, a on oparł się o wóz Big Jona, dołączając do swoich rówieśników, którzy jak jeden mąż wpatrywali się bezradnie w głąb doliny.

Chwilowo zagubiony w swoich myślach Big Jon w końcu zauważył Zacha, uścisnął mu rękę i powiedział:

– I co o tym myślisz, stary przyjacielu? Czy twój bystry umysł widzi tu dla nas jakiś wybór? Czy masz jakieś sugestie?

– Zawsze jest jakiś wybór – odpowiedział Zach, a jego głos zaskrzeczał ponuro. – Niestety nie widzę tu żadnego, który przyniósłby nam cos dobrego! A co do sugestii, nie wiem, jak z innymi, ale mój własny umysł wygląda teraz jak ogromna ciemna próżnia, tak strasznie jest pusty!

Big Jon skinął głową ze zrozumieniem i odezwał się cicho, prawie do siebie, ale wiedząc, że musi podjąć jakąś decyzję:

– Być może jeżeli zostaniemy tutaj w górze i zjedziemy z drogi, to uda nam się pójść górą na zachód i…

– Nie ma szans, ni cholery! – krzyknął w tym momencie główny mechanik, porzucając wszelką grzeczność. – Co, mamy zostawić wyboistą drogę, zarośniętą jakimiś pnączami, jedyną, jaką mamy, i drzeć na przełaj? Było beznadziejnie, jak jechaliśmy przez tamte nieurodzajne ziemie, ale przynajmniej widzieliśmy, gdzie jedziemy! To znaczy może i miło popatrzeć na te krzewy i całą tę zieleń, ale jazda przez to, przez zarośla i gruz, pod którym jest tyle pułapek! Musimy zrozumieć jedno: nawet jeśli porzucimy tę zrujnowaną drogę, możemy tylko przejechać kilka mil więcej, zanim osie i silniki wyzioną ducha. Ale zostawić drogę, zjechać z niej? No nie wiem… – W końcu pokonany, zrezygnowany główny mechanik potrząsnął głową. – No nie wiem… – A gdy przebrzmiały jego ostatnie słowa, było go stać jedynie na bezsilne, prawie przepraszające wzruszenie ramionami.

Wtedy na długi czas zapanowała cisza, aż odezwał się Zach:

– No i taki mamy wybór! Ale Ian ma rację oczywiście.

– Tak, wiem, że ma – Big Jon skinął głową znużony.

– Czyli zostaje nam dolina – podsumował Zach. – Ale przynajmniej droga wiedzie w dół!

– Racja – powiedział Ian Clement, z rezygnacją przyjmując fakt, że jego zadanie się kończy, że zrobił, co tylko mógł, i nic już nie był w stanie pomóc. – I jeśli przepalą się biegi albo silniki zdecydują się odmówić posłuszeństwa, to przypuszczam, że możemy zawsze jechać na jałowym biegu, przynajmniej dopóki będzie pochyło i dopóki hamulce wytrzymają! – zakończył pozbawionym humoru szyderczym parsknięciem.

– A wtedy, jak już będziemy na dole – powiedział Big Jon – w zależności od tego, jak wszystko będzie wyglądać z bliska, może będziemy mieli nowy wybór. Możemy się wtedy zastanowić, czy podjąć próbę przedarcia się, to znaczy o ile pojazdy nadal będą sprawne... – i zerknął na głównego mechanika. – Albo...

– Albo zostawić pojazdy pod drzewami i pójść dalej piechotą – powiedział nowy, młody głos: głos Gartha, który właśnie dołączył do ojca. – Oczywiście nadal będziemy mieli rowery, które nie wymagają żadnego paliwa. Członkowie eskorty tak jak dawniej powinni nadal umieć prowadzić rozpoznanie i wyszukiwać najłatwiejsze trasy. A jeżeli choćby jeden, najmniejszy wóz będzie sprawny i da radę się przecisnąć, będziemy go mogli użyć do transportu paliwa, broni i amunicji. A co do zwierząt to przez całe swoje życie znały tylko nas. Dalej, jak sadzę, musielibyśmy trzymać ptaki w klatkach, ale zwierzęta, które potrafią chodzić, będą mogły iść piechotą wraz z nami. I będą się nas trzymać, jak długo będziemy je prowadzić i karmić.

Kiedy Garth skończył, rozejrzał się i zorientował, że wszyscy na niego patrzą. Kilku może zdradza dezaprobatę, ale żaden nie występuje przeciwko niemu ani nie kwestionuje z punktu widzenia logiki tego, co powiedział.

A Big Jon spojrzał w dół z wieżyczki swojego wozu, mrugnął dwa razy i powiedział:

– Głos młodości, opanowany i bez śladu paniki. Głos rozsądku, który nie dopuszcza żadnych nieprzezwyciężonych trudności, patrzy w przyszłość, bo jakaś przyszłość przecież musi nadejść! I wiecie, bardzo mi się taki głos podoba!

– A dlaczego nie? – powiedział Zach. – Przecież jest dużo zdrowego rozsądku w tym, o czym mówi, i dużo nadziei nawet w tym, o czym nie mówi! Spójrzmy prawdzie w oczy, nie możemy być daleko od celu naszej podróży, nie teraz... W najlepszym razie najwyżej jeszcze tylko kilka mil. Czyżbyśmy nagle stracili umiejętność chodzenia? Nie, wcale nie! Ja sam mam tylko jedną dobrą nogę, ale spróbuję. A poza tym biorąc pod uwagę odległości pokonywane ostatnio przez konwój, moglibyśmy równie dobrze przejść na piechotę ostatnie dwadzieścia albo trzydzieści mil!

– To prawda – powiedział Big Jon, przyglądając się uważnie zwróconym w górę ku niemu twarzom starszych, z których część nadal wyrażała wątpliwość. – Ale zanim zaczniemy iść, możemy popłynąć z nurtem rzeki i w ten sposób zyskać kolejne kilka mil. Czy ktoś ma jakieś lepsze pomysły? Nie? To najlepiej wróćcie na swoje miejsca, bo czas mija i przyszłość jest cholernie niecierpliwa!

I kilka minut później konwój znów był w trasie…

* * *

Przewidywania głównego mechanika Iana Clementa spełniały się aż za dokładnie: jeden z większych traktorów i cysterna z wodą nie zdołały dotrzeć do doliny. Kierowca cysterny wyskoczył z niej, ratując swoje życie, kiedy jego niezgrabny pojazd przewrócił się na pokrytą gruzem nawierzchnię, wybuchnął wielkim płomieniem i stracił cały ładunek. Traktor natomiast, a właściwie jego zużyty, kaszlący i dławiący się silnik, po prostu wyzionął ducha po tym, jak zatrzymał się na dobre, kiedy jego przednie koła wpadły w głęboką koleinę i nie dały rady się z niej wygrzebać. Utknął tam także ciągnięty przez traktor wóz. Zużycie, złe paliwo, ciężkie warunki – za to wszystko trzeba było teraz i w przyszłości zapłacić. Do tego jeszcze tuż po tym, gdy kolumna zaczęła przeprawiać się przez dolinę w kierunku potężnego lasu, jeszcze jeden pojazd się zepsuł, i w rezultacie wielu podróżników trzymało się kurczowo jak ponura śmierć zawodzących i skrzypiących poważnie przeładowanych pojazdów, próbując trzymać się ich, najlepiej jak to możliwe, i biegnąc po ich bokach, ku ich rozczarowaniu musząc zaufać własnym nogom wcześniej, niż przewidywali.

Wtedy, na ostatnim podejściu do wyłaniającej się przed nimi zielonej bariery, wóz Big Jona wypadł z drogi, wpadł w niekontrolowany poślizg i złamał oś na wystającym kawałku betonu. Wtedy, przeklinając swoje szczęście i wszystko, co mu przyszło do głowy, lider klanu zebrał swoje rzeczy i zsiadł. Ostatni raz poklepał swojego zmęczonego wierzchowca po jego czerwonych od rdzy bokach i nie oglądając się za siebie, przeszedł ostatnie sto metrów dzielących go od pachnących żywicą masywnych drzew.

A tam, pod tymi ogromnymi gałęziami, spotkała Big Jona, i nie tylko jego, ale cały klan, ogromna niespodzianka. Bo naprawdę las się rozrzedzał! Pnie olbrzymów nie były na tyle blisko siebie, żeby uniemożliwić przejazd mniejszym wozom, dolne gałęzie rosły na takiej wysokości, na której nie mogły stanowić realnej przeszkody, a ponieważ igły i liście gęsto pokrywały ziemię, nie było prawie wcale poszycia, które utrudniałoby przejazd. Ponadto im głębiej wchodzili, a baldachim na górze stawał się gęściejszy, to pomijając narastający mrok, warunki właściwie tym bardziej się polepszały.

Nie chodziło o to, że lider klanu zamierzał wejść w las na jakąś znaczną głębokość. Popołudnie już z wolna przechodziło w wieczór, a niebo zaczynało ciemnieć, pokrywając się ciężkimi deszczowymi chmurami. Nie, obóz trzeba było rozbić tu i teraz na skraju lasu, a potem zapewnić mu bezpieczeństwo! Big Jon nie chciał też gromadzić w jednym miejscu całej kolumny, bo było oczywiste, że większość pojazdów tu nie dotrze, a gdyby nawet się to udało, zajęłyby cały dostępny obszar. Dlatego wszystkie większe pojazdy musiały zostać na otwartej przestrzeni, a członkowie klanu i ich skromny dobytek, a także zwierzęta mieli zostać ulokowani pod drzewami, ciesząc się tą skromną wygodą, którą miał im do zaoferowania las. A jutro rano? Wtedy będzie można iść dalej, stawiając czoła problemom, które nowy dzień niewątpliwie przyniesie...

* * *

Garth był z Laylą, rozkładał ich niepozorny namiot między pniami i korzeniami olbrzymich drzew, kiedy został wezwany, by dołączyć do Big Jona w przejętym przez niego małym pojeździe umieszczonym w centrum obozowiska. Wysłużony stary autobus o otwartych ścianach był jednym z czterech środków transportu, które dotychczas udowodniły swoją zwrotność w trakcie jazdy przez las i pomiędzy jego wielkimi drzewami. Od tego czasu w ciemności czy też kiedykolwiek tylko klan rozbijał obóz, miał on służyć jako centrum dowodzenia lidera klanu. W trasie miał przewozić chorych albo niesprawnych, jak na przykład Zacha Slattery'ego z jego uszkodzoną nogą. W ten sposób pojazd byłby w użyciu przez cały czas, służąc najlepiej pojmowanemu interesowi wszystkich.

Po przybyciu do pojazdu Big Jona Garth dostrzegł, że inni dowódcy straży nocnej już tam są. Znalazł się wśród nich Garry Maxwell ze swoimi niuchaczami. Nie demonstrując specjalnego entuzjazmu, psy Maxwella skamlały i szarpały smyczami, przywierając do jego chudych nóg tak mocno, jak się tylko dało, i niemal go przewracając.

– Co jest nie tak z twoimi zwierzętami? – Big Jon zmarszczył brwi i odsunął Maxwella na krok albo dwa. – To znaczy oprócz ich zapachu…

– Nie da się umyć psów bez wody! – zaprotestował Maxwell. – Przynajmniej przez ten czas, kiedy były trudności z wodą, a jak ją już znaleźliśmy, tośmy ją oszczędzali do picia. Ale faktycznie trochę śmierdzą. Być może sprawię im frajdę i zaprowadzę do rzeki, niech se popływają przywiązane sznurem, choć nie to, że mi potem podziękują! Przyszliśmy tak właśnie, ja i niuchacze, żebym mógł przystanąć i wlać trochę wody do butelek, takiej, co się ją da pić, rozumiesz. I co, myślisz, że nie poszalały sobie przy tych zawalonych mostach? Możesz się założyć, że tak! I dlatego tu jestem i mówię, co widziałem. Bo wcale im się tam nie podobało, ani koło mostu, ani tutaj pod drzewami. Za ponuro tu dla nich i za mokro, z tą całą wilgocią, co idzie od rzeki. I jeszcze ten ostry zapach tych dużych drzew, i ich kleista żywica, i to wszystko, ciągnie w górę ich nosy, sprawia, że zaczynają kichać i ogólnie zbija je z tropu. Co żem to chciał powiedzieć? Aha, przez to nie będą wcale tak dobrze niuchać i nie rozróżnią, co czują, za dużo nowych zapachów, co to im się wbijają w nosy i doprowadzają je do kurwicy!

– Ha! – Donald Myers parsknął szyderczo. – Ja tam się nie znam na psim zmieszaniu czy irytacji, Chudy Garry, ale czasami myślę, że twoje psy mają o wiele więcej rozumu niż ty! Mam ci powiedzieć, dlaczego są takie nerwowe?

– Ależ oczywiście! – odpowiedział Maxwell, udając, że jest obrażony i rozczarowany. I z tą swoją chudą czy też w najlepszym razie żylastą sylwetką, powłóczącymi nogami, rozczochranymi włosami i długim nosem wyglądał prawie tak samo jak jego psy!

– Powiedz, odkąd to znasz się tak francowacie dobrze na moim biznesie i moich niuchaczach!

– No to posłuchaj! – warknął Myers. – Jak się już rozłożyłem i zorientowałem, że zostało mi trochę czasu, to wziąłem kilku chłopców z mojej załogi i naczynie z farbą fluorescencyjną, i zaznaczyliśmy w lesie kilka drzew dokoła obozu, w odległości może sześćdziesięciu metrów, żeby świeciły jasno na linii wzroku. Chciałem tylko zrobić coś pożytecznego, to wszystko, oszczędzając moim dobrym przyjaciołom trochę czasu i wysiłku przed zmrokiem…

– Który już się zbliża – podpowiedział mu Big Jon – więc zaoszczędź nam jeszcze trochę czasu i wysiłku i skończ już wreszcie! Chcę jeszcze porozmawiać z wami wszystkimi.

Myers skinął głową.

– Daleko odeszliśmy od skraju lasu i weszliśmy głębiej, niebo się chmurzyło i robiło się coraz bardziej ponuro, więc z przyjemnością zauważyłem, że farba zaczyna świecić, choć słabo, ale jednak wystarczająco, by wyznaczyć linię od drzewa do drzewa. Wtedy jeden z moich ludzi zauważył inny blask odrobinę dalej w głębi lasu. To był taki blask, jaki dają niektóre muchomory i próchniejące drzewa.

Ponieważ byliśmy dobrze uzbrojeni, poszliśmy tam i odkryliśmy opuszczone obozowisko latrów. Były tam małe zwierzęce kości i mnóstwo innego gówna, to znaczy dosłownie gówna, nasranego, jak myślę, przez latry, a wszystko lekko lśniło tym niezdrowym blaskiem. A co gorsza od razu rzuciło nam się w oczy coś, co wyglądało jak ludzkie kości, a pomiędzy nimi ludzka czaszka! Albo może i nie ludzka, właściwie zdecydowanie nie ludzka, już nie ludzka, bo kości były strasznie niekształtne, kruche jako kreda, a także długie i cienkie jak nie przymierzając kości naszego Garry'ego. A czaszka była jak skorupka jajka, ale miała bardzo długą szczękę, z zębami ostrymi jak noże!

– No naprawdę! – wymamrotał Maxwell. – Czyli ze względu na te chude stare kości nie jestem człowiekiem, co? No dzięki wielkie, nie ma za co!

Jednak jego oburzenie na nic się nie zdało, ponieważ Myers po prostu go zignorował i dalej ciągnął swoją opowieść:

– Cóż, miejsce nie wyglądało na świeżo opuszczone, i skoro nie miałem tam żadnego pilnego interesu, zabrałem moich chłopców z powrotem do obozu, ale myślę, że znaleźliśmy powód, dla którego psy Garry'ego były nerwowe. Pewnie, żywica i wilgoć rzeki mogły zrobić swoje, ale głównie chodzi o to, co tam wyczuły: lśniące gniazdo latrów tam w lesie! A co do tych dziwnych szczątków… – Doświadczony zwiadowca, którym Myers z pewnością był, przerwał nagle i zadrżał: – Cóż, wydaje mi się, że to musiała być porządnie wygłodzona horda, ponieważ myślę, że…

– I ty, i ja myślimy – wtrącił się Big Jon, kończąc za niego – że w desperacji zostali zmuszeni do zjedzenia jednego z nich!

A Myers, który skończył już swoją opowieść, po prostu skinął głową.

Potem po kilku długich chwilach, potrzebnych może, żeby otrząsnąć się z nagłego przygnębienia, niepokoju, który odczuł każdy w tej grupie, ich lider wzruszył ramionami, odchrząknął i w końcu zabrał głos:

– A teraz do rzeczy. Zwołałem was tu, żeby zapytać, jakie środki bezpieczeństwa będą nam potrzebne dzisiaj, więc tym lepiej, że teraz dowiedzieliśmy się od Dona, że latry używały tego miejsca jako swojego gniazda kiedyś w przeszłości i nie wzdragają się przed chowaniem się w lesie. Pamiętajcie więc o tym i powiedzcie mi… – jego spojrzenie padło na Berta Jordana. – Bert, co myślisz? Masz może jakieś sugestie?

Drapiąc swój podbródek, Jordan odpowiedział:

– Muszę się nad tym moment zastanowić. – A po chwili dodał: – Mamy do dyspozycji sporo strażników i uważam, że powinniśmy użyć każdego do obsadzenia posterunków dzisiejszej nocy tam, gdzie zaznaczył dla nas rewiry Don. Powinniśmy przydzielić przynajmniej dwóch ludzi do każdego stanowiska, a przynajmniej do co drugiego, a o ile to możliwe, pozostawić nie więcej niż jedno albo dwa między tymi miejscami. A tak na marginesie, ale to ważne, rano będziemy mieć przez to dużo zmęczonych chłopaków, więc kiedy pojawi się kwestia, kto ma skorzystać z wozów, to oni muszą mieć pierwszeństwo. Powiedzmy sobie szczerze, nie da się wykorzystywać ich co noc i nadal oczekiwać, że w ciągu dnia będą szli na piechotę. – Przerwał, wzruszył ramionami i mówił dalej: – Tak, to wszystko, jeśli chodzi o mnie... choć prawdopodobnie powinienem powiedzieć o czymś, co widziałem, jak tu szedłem. To ja jechałem w tym wozie, który utknął w głębokiej koleinie schodzącej w dół dużego zbocza. Do czasu, jak go odkopaliśmy, byliśmy już ostatni w całym konwoju i myślę, że chyba byłem ostatnim człowiekiem, który wszedł między drzewa. Ale jak tu szedłem, zobaczyłem niewielkie rozbłyski, jakby błyskawice, i usłyszałem grzmot... a w każdym razie coś w tym stylu.

Lider klanu zmarszczył brwi i powiedział:

– Grzmot? To możliwe, niebo było pokryte deszczowymi chmurami, to pewno. Jeśli chodzi o światło czy też błyskawicę, to przypuszczam, że to jest również doskonale logiczne, bo przecież jedno idzie w parze z drugim! Tylko gdzie dokładnie widziałeś te błyski, Bert?

– Na północ od nas, w lesie – odpowiedział. – Może niecałe trzy mile wzdłuż rzeki i pół mili w głąb lasu, tam, gdzie łączy się on z zachodnim krańcem doliny. To było po tym, jak usłyszałem pierwszy z tych odgłosów grzmotu i szukałem jego źródła, kiedy zobaczyłem, jak korony drzew rozjaśniają się tym rozbłyskiem światła, na ułamek sekundy, rozumiesz, zobaczyłem to tylko kątem oka. Więc stałem jeszcze chwilę, czekając, aż się to powtórzy, ale grzmot ucichł i już nic się nie zdarzyło... przynajmniej dopóki patrzyłem! Ha! Ale czy to nie jest typowe? A potem usłyszałem bardziej stłumiony odgłos i zobaczyłem trzy albo cztery jeszcze rozbłyski światła w tym samym miejscu co poprzednio. Te rozbłyski zniknęły równie szybko, jak się pojawiły, nie zostawiając żadnego śladu...

– I to wszystko? – zapytał po chwili lider.

– Tak jest – odpowiedział Jordan.

– Hmm! Wygląda to jak ognie świętego Elma, wyładowania atmosferyczne, które widziałem kiedyś w czasie wyprawy zwiadowczej w Southern Refuge. Dobrze, możemy tamtędy pojechać jutro. Sądzisz, że dasz rade wskazać nam to miejsce?

– Całkiem blisko – powiedział Jordan. – Jasna sprawa.

– Bardzo dobrze, skoro nic z tym nie możemy teraz zrobić, zostawimy to na razie… – Big Jon chrząknął, skinął głową i zwrócił się do Gartha. – Młody Slattery, widzę po twojej minie, że masz mi coś do powiedzenia. W takim razie powiedz to głośno. Została jedynie mniej więcej godzina do zmierzchu, a wtedy będziesz potrzebny na warcie.

– I nie tylko na warcie – powiedział Garth. – Przynajmniej nie według mnie. – A wtedy, świadomy nagłego napięcia i tego, że zarówno Bert Jordan, jak i Don Myers zmarszczyli brwi, dodał szybko: – Nie o to chodzi, że się nie zgadzam albo znajduję jakiś błąd w tym, co zrobił Don albo co zaproponował Bert. Oczywiście, że nie, ale myślę, że może tu chodzić o coś więcej.

– Mów – ponaglił go lider.

– Chodzi o coś, co Garry powiedział o tych zawalonych mostach na rzece. To, że jego psy wyrywały się, kiedy je tam zaprowadził, że wydają się zaniepokojone i skonfundowane nawet teraz. Chodzi o to, że z tego co widziałem, to te mosty są na pół zanurzone w wodzie, ale nadal można po nich przejechać. A na tamtym brzegu są te ogromne przemysłowe budynki, z grubsza nietknięte. To takie miejsce, gdzie…

– Gdzie lubią się zapuszczać latry – dokończył Big Jon, ulegając pokusie uprzedzania myśli i słów innych. A potem dodał:
– Mów dalej.

– A więc – powiedział Garth – wszyscy dobrze wiemy, że dość duży rój latrów porusza się szybko razem z nami na północ i że ostatnio przy tych wszystkich awariach i innych problemach nawet nas wyprzedziły. Ale to, że nawet nie próbowały nas zaatakować, jest… cóż, dość niezwykłe, mówiąc ostrożnie. I zaryzykuję, że będę się powtarzał, ale jak już mówiłem, uważam, że to dlatego, że czekają na swój czas, szukając doskonałej okazji i… i w każdym razie słuchając czyichś rozkazów albo przynajmniej rad!

Big Jon skinął głową i wymamrotał:

– Powoli, małpko, powoli!

– No właśnie! – powiedział Garth. – A my utknęliśmy tutaj, w tym niezbadanym lesie, niezdolni do szybkiego przemieszczania się albo w ogóle do przemieszczania się w nocy. Wokół nas w tych drzewach albo za rzeką nie dalej niż sto metrów stąd mogą się czaić dziesiątki, setki potworów, tylko czekając na ciemność! Tak, oczywiście musimy obsadzić posterunki wyznaczone przez Dona, ale powinniśmy również postawić ciężko uzbrojonych ludzi w pobliżu tych bliźniaczych mostów, ja sam zgłaszam siebie i swoją drużynę na ochotnika do tego zadania…

Gdy tylko Garth skończył, przez najmniejszą szparę w baldachimie liści przebił się wątły promień słońca i na krótką chwilę rozjaśnił słup z drobinek pyłu wirującego niczym miniaturowa galaktyka.

– Te deszczowe chmury wydają się przesuwać – powiedział wtedy Myers, a jego normalnie silny głos nagle zabrzmiał cicho i niepewnie.

– Dobrze – powiedział Big Jon – ale czas też nam się kończy. – I zwróciwszy się do Maxwella, mówił dalej: – Garry, czas, żebyś poszedł i zebrał resztę psów z całego obozu. A dzisiaj wieczorem chcę cię widzieć na patrolu z twoimi niuchaczami. I tym razem nie będziemy się przejmować hałasem, jeśli chcą rozrabiać, pozwólmy im szczekać, o ile tylko będą wykonywać swoje zadanie! A co do was trzech… – jego ostre spojrzenie omiotło twarze dowódców nocnej straży – możecie się rozejść i zająć tym, co każdy z was robił zawsze najlepiej, a niech dobry Bóg ma każdego z nas w swojej opiece aż do samego rana…

12

Przez prawie dwie godziny Garth zajmował się rozlokowywaniem swoich ludzi na tym, co pozostało ze splątanej, niemal zatartej drogi na wschód od lasu, na oddalonych o ćwierć mili skrzyżowaniach z węższymi drogami, które prowadziły niegdyś do mostów, a teraz przedstawiały tak samo pożałowania godny widok jak one. Upewnił się, że mają najlepszą, pozbawioną przeszkód linię strzału i najlepszą osłonę, sprawdził ich broń, amunicję i wszystkie inne elementy ich wyposażenia, a kiedy zmierzch przeszedł w mrok, a od wschodu zaczęły się skradać cienie nocy, wrócił na krótko do obozu oddalonego o niecałe dwieście metrów, gdzie w pobliżu głównej kwatery Big Jona Layla zapaliła małą lampkę olejną przy wejściu do ich namiotu. Bo choć poza lasem ciemność dopiero miała nadejść, to tu, pod baldachimem liści, zapadał już zmrok.

Garth pojawił się tam tylko po to, by ją pocałować i uspokoić, a także samemu otrzymać pocałunek i ukojenie, ale dzisiejszy wieczór był inny od pozostałych. Pojawiło się jakieś bezpośrednie zagrożenie, które zatrzymało go minutę albo dwie dłużej, niż zamierzał. A w całym obozowisku, zwłaszcza na jego obrzeżach, jarzyły się małe olejne lampy przypominające świetliki i rzucające kapryśne cienie tam, gdzie ludzie wznieśli swoje schronienia. Ale kiedy obóz uspokoił się i szepty odległych głosów stopniowo zanikły, a jedyne poruszenie pochodziło od milczących ludzi i psów pełniących wartę, gdy nawet mruczenie szefa mechaników Iana Clementa urwało się nagle w cichym przekleństwie, kiedy rzucił narzędzia i zrezygnował z pracy nad rozbitym generatorem, właśnie wtedy mrok jeszcze bardziej zgęstniał i nagła cisza wydawała się nienaturalna… a może nawet nadprzyrodzona?

– Co to jest? – spytała Layla stłumionym głosem, stojąc wtulona w ramiona Gartha obok ich prowizorycznej chatki. – To znaczy dlaczego jest tak cicho? Wcześniej – nie wiem, czy to zauważyłeś – ale nie było żadnych ptaków nawołujących się w gałęziach, żadnych małych stworzeń szeleszczących w stertach liści, tylko owady i chrząszcze. Jest za cicho i wcale mi się to nie podoba! I tylko popatrz na te psy, ogony mają spuszczone między nogami i chowają się w cieniu! Myślę, że wyczuwają, że coś jest nie tak. A wszyscy członkowie klanu ucichli tak, jakby nagle opuściły ich siły. A przecież nie tak dawno zbierali się choćby po to, żeby dla towarzystwa posiedzieć sobie przy ogniskach.

– Ogniska są wykluczone – odpowiedział Garth. – Te ogromne drzewa są pełne żywicy, a ziemia pod stopami jest jak dywan, który natychmiast zająłby się ogniem i spłonął. Big Jon nawet nie pozwoliłby na lampki naftowe, ale te nieliczne akumulatory, które nam zostały, są potrzebne ludziom na warcie. A co do ludzi, są wyczerpani, a skoro nie mają nic do roboty, to najlepszą rzeczą, jaką mogą zrobić, jest sen… a to dotyczy także ciebie! A co do nocnej warty to właśnie tam powinienem być, i to już zaraz. Ale zanim pójdę… chciałem tylko powiedzieć ci, jak bardzo cię kocham.

– Och, Garth, ja też cię kocham! – przytuliła się do niego jeszcze mocniej. – Raz jeszcze zapytam: dlaczego wydaje się to tak ważne, że sobie o tym nawzajem mówimy, zwłaszcza dzisiaj?

A on potrząsnął głową.

– Nie wiem. Być może jest tak, jak mówi Big Jon: czujemy, że zbliża się kres podróży i pojawia się nadzieja, ale ponieważ wciąż tam nie dotarliśmy, boimy się, że się nie spełni. Co oznacza, że im bliżej celu, tym silniejsze są nasze obawy! To chyba się nazywa paradoks, jak mi się wydaje. Posłuchaj mojej rady i przynajmniej postaraj się zasnąć. A jak ci się to uda, to przyjmuj tylko najsłodsze sny.

Potem powoli odsunęli się od siebie i Garth poszedł w stronę gęstniejącej ciemności, gdzie zachodni grzbiet doliny otoczony był złotą poświatą, a na wschodniej części nieba zaczynały mrugać pierwsze gwiazdki. Ale jak tak szedł w kierunku najbliższego posterunku obsadzonego przez jego oddział, Garth zastanawiał się również nad nagłą sennością, jaka ogarnęła cały klan.

Czy to po prostu dlatego, że byli wyczerpani, jak zasugerował Layli? A może to coś innego, jakiś czynnik zewnętrzny, nie tyle fizyczny, ile umysłowy, usiłowało przedostać się do ich umysłów, coś obezwładniającego i sprawiającego, że ich umysły stawały się nie tylko mniej odporne, ale wręcz przychylne tej inwazji?

Z tymi pytaniami i kilkoma starożytnymi powiedzeniami rozbrzmiewającymi mu w głowie Garth szedł, najszybciej jak tylko się dało, przez niski zagajnik i ciemność gromadzącą się wokół rzeki.

Z powiedzonek powtarzał sobie: „Z oswojenia rodzi się lekceważenie" i „Powoli, małpko, powoli"…

* * *

Wszystko zaczęło się niecałe dwie godziny później. Garth był już na północnym skrzyżowaniu, gdzie trzech z jego ludzi obserwowało nieduży odcinek drogi dojazdowej i okolice zawalonej, na wpół zanurzonej w rzece struktury mostu, aż po majaczące teraz złowieszczo budynki na odległym brzegu. Chmury odpłynęły daleko na południe, zostawiając czarną wodę rzeki, która lśniła w świetle księżyca. Mimo że od czasu do czasu jego blade światło chowało się za poszarpane resztki chmur, to wciąż było błogosławieństwem, podobnie jak fakt, że jedynie drobne ślady mgły snuły się od rzeki w kierunku lądu.

Teraz, upewniwszy się, że oddział pilnujący północnego mostu został dobrze rozlokowany i że wszystko było w porządku, a jego ludzie czuwali, Garth wrócił wyboistą starą drogą tworzącą ledwo widoczny szlak pokryty całunem listowia w kierunku posterunku położonego na południu, najbliżej obozu, czując jeszcze w żołądku smak herbaty ziołowej, którą kilka chwil temu go poczęstowano. Wtedy jego przyjaciel Billy Martin szturchnął go łokciem i zapytał:

– Garth, widziałeś kiedykolwiek coś podobnego? To znaczy co do cholery… – Ale słowa uwięzły mu w gardle, kiedy spojrzał niepewnie, ze zdumieniem, i wskazał palcem na drugą stronę rzeki, za most.

Podobnie jak inni członkowie drużyny, Eric Davis i niedawno zwerbowany Gavin Carter, który wydawał się teraz spokojniejszy i bardziej rozluźniony niż poprzednio, Garth podążył za wzrokiem Billy'ego w kierunku do brzydkich, kwadratowych fasad częściowo zrujnowanych budynków na odległym brzegu. Ich sylwetka odcinała się od święcącego blado tła i wyglądały dość niesamowicie.

Ale było tam też jakieś inne światło, i to wcale nie jednostajne: błyszczący strumień złożony z miriadów punkcików, wypływający z dolnej części budynku położonej bezpośrednio naprzeciwko jednego z filarów mostu i zmierzający prosto do samego mostu!

Wtedy przez moment Garth pytał sam siebie, jak przed chwilą Billy zapytał jego: co do cholery…? Ale tylko przez moment, bo przecież sam to wiedział!

Wiedział, że te niezliczone punkciki były skutkiem rozkładającej się siarki w oczach dziesiątek, może nawet setek latrów! A potem tylko patrzył, jak zaczynają przechodzić przez most, i to w coraz szybszym tempie!

Rozszalały rój, największy, jaki kiedykolwiek widział, kiedykolwiek sobie wyobrażał, z nozdrzami wypełnionymi słodkim zapachem krwi, z ustami czującymi jej smak, pragnieniem i żądzą krwi gorejącymi w ich oczach, które lśniły blado w srebrzystym świetle księżyca!

Trzej towarzysze Gartha usłyszeli jego gwałtowny oddech, zobaczyli, jak sztywnieje, i już wiedzieli, że stało się najgorsze: było ich tylko trzech, z Garthem czterech, i sami musieli stawić czoła hordzie potworów przedzierających się przez most!

– Nie powinno nas tu być – powiedział Gavin Carter, całkiem spokojnie. – Mnie tu nie powinno być! – I odłożył swój automatyczny karabin, a potem zaczął odpinać pas z nabojami zawieszony na szyi. Na ten widok Gartha opuścił chwilowy paraliż.

– Możesz biec i zginąć, Gavin – powiedział, a jego głos drżał nieznacznie, choć jakoś zdołać to drżenie opanować. – Bo jeśli nie zdołamy zatrzymać ich tutaj, i tak cię dopadną. Nie tylko ciebie, ale każdego: ciebie, nas, cały klan! – Nawet Laylę! Ale o tym tylko pomyślał.

– Ale zdecydowanie umrzesz pierwszy! – warknął Billy Martin. – Bo przysięgam, że sam cię zastrzelę, a ty mi za to będziesz dziękował w niebie albo w piekle, gdziekolwiek trafisz!

Eric Davis obezwładnił Cartera i przytrzymując go, powiedział:

– Po to tu właśnie jesteśmy, Gavin. I dlatego jesteś uzbrojony, w przeciwieństwie do większości naszych ludzi, tych biedaków w lesie, którzy nie będą nawet wiedzieć, co ich zaatakowało! Ale jeżeli mamy tu zginąć, to możemy przynajmniej zabrać ze sobą całkiem sporą część tych cholernych skurwysynów! I co ty na to? – Wtedy go wypuścił i krzywiąc się, jakby bliskość Cartera sprawiała mu fizyczny ból, Davies odepchnął go daleko.

– A czy mam… mam jakiś wybór? – wydusił z siebie roztrzęsiony Carter, o mało się nie wywracając, ale nie uciekał.

– Możesz stanąć, walczyć i prawdopodobnie zginąć – powtórzył Garth. – Albo możesz poddać się i też zginąć, ale jako tchórz! Nikt się o tym pewnie nie dowie. – I nagle ogarnęło go obrzydzenie wobec jego własnego lęku, splunął w ciemność, jak gdyby chcąc się uwolnić od tego smaku, splunął tak mocno, jak często widział to u swojego ojca. – Nie masz innego wyboru, Gavin, i to samo się odnosi do nas wszystkich. Więc jak będzie?

– Ale cokolwiek wybierzesz – dodał Billy, przeładowując swoją dubeltówkę, a potem odkładając ją i wyciągając z kieszeni granat odłamkowy, uzbrajając go i sprawdzając kciukiem zawleczkę, a jednocześnie oceniając odległość – to lepiej zdecyduj się jak najszybciej, bo już nadchodzą!

– Nie jestem… nie jestem tchórzem – powiedział Carter, potrząsając głową. – Ja tylko… Ja tylko tak bardzo się boję!

– W takim razie witaj w naszym świecie! – powiedział Eric Davis. Ale nawet nie zdążył skończyć, a Carter już zacisnął zęby, ponownie sięgnął po broń i powiedział:

– Przypuszczam, jak skończy mi się amunicja, to będzie już po mnie. Ale do tego czasu mam zamiar walczyć. – A potem zwrócił się do dowódcy: – Garth, gdzie powinienem celować?

– Celuj im w głowy – odpowiedział Garth z wdzięcznością. – W ich płonące oczy. Ale zanim zaczniesz… – usłyszał zgrzyt metalu, kiedy wyszarpnął zawleczkę, i wiedział już, że właśnie zaraz rzuci pierwszy granat. – Poczekaj tylko, aż dym się rozwieje!

– Uwaga, rzucam! – wrzasnął Billy, robiąc zamach ręką, potem wypuścił swoje zabójcze jajko. A jego synchronizacja była bliska doskonałości. Przód wijącej się kolumny latrów znajdował się już poza mostem na drodze dojazdowej, nie dalej niż na trzydzieści metrów od nich. A jednocześnie znacznie dalej niż fosforyzujący, niezdrowy blask ich oczu. Dobrze było teraz widać pojedyncze stwory.

Nadeszły niczym ściana mgły: kłębiąc się, wirując, wyciągając przed siebie dłonie o szponiastych palcach, umieszczone na niewiarygodnie długich, wrzecionowatych rękach. Na swój niesamowity, bezcielesny sposób idealnie zwarte, choć co chwilę na pozór zlewające się ze sobą, by za moment znów się rozdzielić niczym groteskowe, człekopodobne ameby. Wydawało się, że nie dostrzegły Gartha i jego drużyny za zburzoną, pokrytą pnączem ścianą liczącego kilka wieków domu z cegły. Nie zwróciły też uwagi na metalowy pocisk, który spadł między ich przednie szeregi… dopiero jakiś czas później.

Za ścianą Garth i jego ludzie pochylili głowy, kiedy szrapnel przeleciał nad nimi i wybuch rozszedł się echem po całej dolinie. Z tego miejsca oni nie mogli zobaczyć wspaniałego błysku światła, odczuć jego gorąca ani doświadczyć jego niszczycielskiej siły, ale pierwsze szeregi latrów zobaczyły, poczuły i doświadczyły tego wszystkiego! Gruz leciał z góry, a Garth i pozostali podnieśli głowy. Na zarośniętą drogę dojazdową opadały rozszarpane na strzępy latry, kawałki ich galaretowatych ciał: kończyny, głowy i inne trudniejsze do rozpoznania fragmenty, a każdy z nich unosił się nadal w innym kierunku. Ale przód kolumny rozdzielił się, a posuwające się naprzód stworzenia zwolniły i skręciły, rozpraszając się na północ i południe wzdłuż brzegu rzeki.

Wszystko dobrze! – pomyślał Garth. Tylko że teraz zniekształcone głowy o wydłużonych szczękach tych przypominających zwłoki stworów wszystkie naraz obracały się w jedną stronę. Ich zniszczone nozdrza drżały, a rozognione oczy wpatrywały się w jeden punkt: w ruiny, gdzie Garth i pozostali właśnie się przegrupowywali, ustawiając się za starą ścianą. Poprzez unoszący się w górze cierpki smród kordytu z chemicznego płomienia i woń rozsiewaną przez kawałki ciał i plazmę nieumarłych wampiry mogły teraz wywąchać swoją zdobycz i wiedziały, gdzie się ona przyczaiła... mogły też wyczuć, że ta właśnie zdobycz, ta mała grupa ludzkiego mięsa, pożywienia dla nieludzi, jakimi się stały, nie podda się bez walki!

Było prawie dwieście potworów, jednak trudno byłoby je dokładnie policzyć. Z tego ponad dwa tuziny teraz oddzieliły się od hordy i leciały po jej lewej i prawej stronie, od drogi dojazdowej i wzdłuż ruin drogi przebiegającej równolegle do rzeki. Ale zarówno na północnym, jak i na południowym krańcu stworzenia te przemieszczały się już poza drogą pod osłoną gęstego zagajnika i zarośli. W ten sposób świadomie lub nie uformowały się na kształt kleszczy.

Widząc, co się dzieje, Garth zawołał:

– Billy, Eric, zachowajcie swoje granaty na później, kiedy latry nas otoczą. Gavin, możesz zacząć strzelać, kiedy ci się tylko podoba, do któregoś z tych potworów, które się do nas zbliżają od przodu. To samo się zresztą tyczy was wszystkich. Tylko powtarzajcie sobie, że nie możecie dopuścić ich za blisko, a jednocześnie im bliżej są, tym łatwiejszy stanowią cel... w każdym razie niech każdy strzał trafi do celu!...

Ale Garth już wiedział, że ten atak był inny niż wcześniejsze. Gdzie się podział ten opętańczy szał krwiożerczego obłędu, jaki pojawiał się w każdym poprzednim starciu, w którym uczestniczył? Gdzie obłąkane barbarzyństwo, które było jedyną taktyką latrów?

Garth widział, że wampiry znajdujące się na wprost nich, gdzie zebrały się, aby zewrzeć szeregi po zniszczeniach dokonanych przez granat Billy'ego Martina, teraz przemieszczają się w sposób, który można by było opisać jako skradanie się, o czym nikt nigdy wcześniej w odniesieniu do latrów nie słyszał!

Och, ich oczy kapały siarką jak wcześniej, a wyciągnięte przed siebie drapieżne ręce wyglądały tak samo strasznie, ale ich posunięcia były ostrożne, a nawet przebiegłe. Teraz polowały z okrutnym wyrachowaniem, z tym, co poprzednio było nie do pomyślenia: ze świadomością i inteligencją!

Nie była to zwykła, przypadkowa konfrontacja, ale zasadzka przeprowadzona z talentem obcym zwykłej bezmyślności wampirów, chociaż być może nie całkowicie niemożliwym do wyobrażenia. Nie, bo jako wyjątek już dawno temu się wydarzył w osobie niejakiego Jacka Fostera, zwiadowcy porwanego przez latry, zmienionego przez nie w wampira, który w końcu powrócił... jako dowódca roju, małej armii nieumarłych!

Kiedy tylko o tym pomyślał, to nagle i bez najmniejszych wątpliwości przypomniał sobie ten drugi wyjątek, który raz jeszcze stanowił zakwestionowanie reguły, i jednocześnie zaakceptował fakt, że na razie nic nie mógł na to poradzić. Nie żeby zrobić z tym cokolwiek, musi najpierw przeżyć!

Kurz i odrażające szczątki wyrzucone do góry przez granat Billy'ego powoli opadały na ziemię. Unoszący się nad nimi żółty dym odleciał daleko, zabierając z sobą część tego smrodu. A teraz, kiedy Garth na próżno szukał możliwości przeprowadzenia jakiegoś śmiertelnego manewru, który pozwoliłby jego oddziałowi wycofać się i jednocześnie zatrzymać wampiry, to jego trzej towarzysze niedoli zaczęli strzał po strzale rozbijać środek nadlatującej kolumny latrów. Jedna głowa rozpryskiwała się za drugą.

Ale skoro nie było żadnej oczywistej alternatywy dla tego, co Garth i jego ludzie już robili, to jego mózg nadal pozostawał w stanie gorączkowej aktywności, choć już nie szukał nieistniejących rozwiązań i zamiast tego roztrząsał, co mogło dziać się teraz tam w obozie pod wielkimi drzewami, oddalonymi tylko o dwieście metrów.

Jego drużyna nie ostrzegła nikogo gwizdami, co i tak byłoby zbyteczne, ale jedynie hukiem wybuchu granatu, a teraz ostrymi, szybkimi dźwiękami następujących po sobie wystrzałów. To musiało postawić ich na równe nogi i uprzedzić o ataku. Było więcej niż prawdopodobne, że teraz akurat w ich stronę zmierzają posiłki, gnając ile sił w nogach, a przynajmniej na tyle szybko, na ile pozwalają utrudniające ruch zarośla i podszycie, z rozpalonymi sercami i bronią gotową do strzału. Garth był pewny, że tak musi być, ale... czy dotrą tutaj na czas? A nawet jeśli tak, to czy będzie to jakaś różnica w walce z całą tą hordą?

Kleszcze latrów zaciskały się od północy i od południa, a kiedy Garth i Gavin Carter niestrudzenie ładowali strzał za strzałem w zbliżający się środek kolumny, niebezpiecznie teraz bliski, to Billy Martin i Eric Davis nieustannie ciskali granaty, których żałośnie mała sterta topniała w zastraszającym tempie, w wampiry osaczające ich z obu boków. Ich eksplozje rozdzierały mrok nocy, aż wreszcie zabrzmiał okrzyk:

– Skończyły mi się granaty! – głos Billy'ego brzmiał ochryple, kiedy kucnął w północnym załomie starego muru. A po kolejnym błysku światła i ogłuszającym wybuchu od południowej strony rozbrzmiał drżący krzyk Erika:

– Mnie także!

– Chodźcie tutaj! – Garth przerwał chwilową ciszę. – Do mnie, tu możemy się z powrotem przegrupować. Będziemy ostrzeliwać te diabelstwa, jak będą przelatywać nad murem, i wtedy będziecie mogli przejść...

– Jeżeli musimy! – zabrzmiał krzyk Billy'ego, i już wkrótce wszyscy byli razem. A teraz mogli usłyszeć krzyk dobiegający od strony obozowiska i dojrzeć słabe smugi światła latarek przecinające zadymioną ciemność. To było dziesięciu albo więcej zdesperowanych ludzi, przedzierających się przez zarośla, nie zważając na swoje życie ani na całość swoich kończyn.

Wampiry też usłyszały zmieszane, stłumione nawoływania oddziału spieszącego z odsieczą. A teraz, kiedy zbliżyły się niemal do ściany, zwolniły tak, że prawie zatrzymały się w miejscu. Ale to nie tylko na skutek zagrożenia, jakie nieśli ze sobą ludzie nadciągający od strony obozu. Zatrzymała je świetność tamtych świateł, trzy zestawy podwójnych promieni przedniego światła, idące od strony północnej i przeszukujące teren wzdłuż rzecznej drogi, oślepiające przednie światła i ludzie biegnący w ich kierunku, inny oddział Gartha umieszczony w bardzo dogodnym punkcie obserwacyjnym na północnej stronie mostu. Biegli, częściowo jechali, i to tak szybko, że wydawali się lecieć, uczepieni boków olbrzymiego, zagadkowego pojazdu!

Ale... błyskające światła i grzmiące silniki? Umysł Gartha pracował na pełnych obrotach. Co to widział podobno Bert Jordan: błyskawicę albo światła przebijające przez korony wielkich drzew i dobiegający z tego samego kierunku grzmot?

Ale to przecież nie to! Grzmot i błyskawica? Nigdy! Garth roześmiał się głośno. Pogroził nocy zaciśniętą pięścią i krzyknął w kierunku swoich trzech towarzyszy zgromadzonych blisko niego, oszołomiony, ale nadal oddychający, nadal żywy.

– Dlaczego przestaliście strzelać? – wrzasnął. – Jeszcze nie skończyły, te przeklęte stwory, poza tym my też nie, więc strzelajcie wszystkim, co macie!

Mechaniczny grzmot i rozbłyskujące światła, tak jak te magiczne, cudowne pojazdy, zbliżały się, zgniatając rozkruszony beton i poszarpany asfalt, wyrywając z korzeniami krzewy i gwałtownie łamiąc młode drzewa. I jeszcze biegnący do utraty tchu członkowie klanu, rozdzielający się na prawo i lewo, otaczający Gartha i jego towarzyszy, a każdy z nich strzelał niezmordowanie do hordy latrów.

A same wampiry, mrugając swoimi żółtymi fosforyzującymi oczami, oślepione i zagubione w jarzących się strumieniach światła, zwijające się z bólu niczym zepsute grzyby pod naporem ulewnego deszczu… i oczekujące jeszcze gorszych wydarzeń.

Ale Garth nie umiał im współczuć. Nie czuł ani grama żalu, gdy trzy masywne, podobne do siebie pojazdy zatrzymały się w jednej linii na wprost latrów i otworzyły do nich ogień z pięćdziesięciu dysz ukrytych na ich dziobach. Jak chemiczne kosy te strzały, strumienie łatwopalnego żaru, były na zewnątrz przejrzyście błękitne, a w samym rdzeniu paląco białe. Przebijając się przez wszystko, czego dotknęły, te ryczące języki ognia nie zostawiły niczego oprócz żarzących się czerwienią popiołów i nagle spadających ich śladem kopców żużlu. A monstrualna horda wampirów po prostu roztopiła się pod ich wściekłym gorącem i światłem.

Jakieś dziesięć wampirów uciekło tam, skąd przyszło, tą samą trasą wzdłuż drogi dojazdowej i przez na wpół zatopiony most, ale większość jak zjawa podążyła wzdłuż rzecznej drogi, śledzona bezlitośnie przez trzy straszliwe pojazdy, które po wypaleniu całego paliwa miotaczy otworzyły do nich ogień z broni automatycznej. Ale za chwilę nawet i to ustało, zostawiając noc wypełnioną dymem i smrodem. Gdzieniegdzie stali zaskoczeni, niekiedy wręcz otumanieni członkowie klanu.

Wtedy w zdumiewającej ciszy, gdy tylko ucichł trochę hałas wydawany przez sojusznicze pojazdy, w miarę jak się oddalały, ścigając dalej latry, nagle ludzie zaczęli się obejmować, nie tyle by udzielić sobie fizycznego wsparcia, powstrzymać się od przewrócenia się, ale raczej w geście zwycięstwa!

A tylko kiedy Garth poczuł, jak jego ramiona zaczynają nagle trochę opadać, co było oznaką, że ogarnia go umysłowe znużenie i fizyczne zmęczenie, wtedy coś usłyszał…

Ktoś zachichotał? Ale ktoś… czy coś?

Bo ten złowróżbny dźwięk nie pochodził od niczego prawdziwego ani mającego fizyczną postać. Garth już go kiedyś doświadczył czy też „usłyszał" i wiedział, że nie dotarł on do niego przez uszy, tylko przez umysł!

– Ach, uczeeeń! – Wibrujący odgłos znów rozległ się w jego głowie, a nikt poza nim nie mógł go usłyszeć. – Zwabili cię tu raz jeszcze, prawda, wszystkowiedzący szczeniaku? Ale czy ty i cały ten cholerny klan sukinsynów sądzicie, że pokonacie Neda Singera? I co, kto teraz dostanie to, co najlepsze? Co, uczniaku? Ned, właśnie on! Może nie najlepszy kawałeczek ciebie, ale najsmakowitszy kąsek twojego starego kalekiego ojca, tak! A już na pewno ten najlepszy i najsoczystszy, z Layli Morgan!

Garth podskoczył oszołomiony jak pijak, kiedy usłyszał dobiegające od strony obozowiska w lesie pierwsze ochrypłe krzyki, wrzaski przerażenia i niezdecydowane, jak ocenił z tej odległości, wystrzały, do tego zbyt rzadkie. Ale oczywiście musiały być rzadkie, powiedział do siebie, jak tylko mógł już poruszyć zdrętwiałymi z przerażenia nogami i rzucić się biegiem z powrotem przez rozjechany zagajnik w kierunku ciemnej plamy lasu, skoro większość amunicji została już zużyta!

– Layla! – Garth z trudnością łapał oddech, jego serce, płuca i nogi odmawiały mu posłuszeństwa. – Layla! Ojcze!

– Layla, taaak – zasyczał straszny, nienawistny głos w jego umyśle. – I taaak, Zach! Cha-cha-chaaa!

Nie wiedząc, co się dzieje, dopiero teraz zauważając krzyki dobiegające z obozu, pozostali członkowie klanu zostali daleko za Garthem na skrzyżowaniu dróg, a on sam, teraz dogłębnie zszokowany, biegł szybko przez noc. Zmusił swoje ciało do dalszego wysiłku, do coraz szybszego biegu, a i tak czuł, że porusza się w zwolnionym tempie! Wydawało mu się, że grawitacja nie działa, jak gdyby dryfował w ciemności, ważąc tyle co liść, z każdym szalonym obrotem wirujący coraz szybciej i szybciej, dopóki nie wyląduje znów na śliskich pnączach i splątanych korzeniach!

A teraz od strony obozu, słaniając się i prawie upadając, uciekając na miękkich, przykurczonych nogach przed podobnym do zjawy stworem dyszącym tuż za jego plecami z rękami rozpostartymi przed sobą, nadciągał ktoś, czyj głos Garth rozpoznał od razu mimo jego piskliwego tonu.

– Pomocy! – wołał Arthur Robeson o twarzy naznaczonej blizną, wymachując przed sobą roztrzęsionymi rękami i chwytając w nie niewidoczne powietrze, prawie w ten sam sposób, jak podążający za nim stwór o płonących oczach. – Ktoś, ktokolwiek, niech mi ktoś pomoże! Latry zleciały z drzew! Ukrywały się w konarach, a teraz… teraz są w obozie!… Na miłość boską, niechże mi ktoś pomoże!

Ale było za późno! Ścigający Robesona latr dopadł go! W ostatnim momencie przerażony człowiek potknął się, przewrócił się na plecy, a potwór skoczył na niego, zdusił go, otworzył szczęki niemożliwie szeroko… Potem zacisnął je i stłumił krzyk wraz z całą twarzą ofiary! Potem nastąpił straszliwy skręt, gwałtowne szarpnięcie, aż wampir rozsiadł się, jego szkarłatne usta wypełniły ciało i krew. Wtedy wytrysnęła prawdziwa fontanna krwi, z ciała Robesona wydającego z siebie przeraźliwe, stłumione wrzaski!

Garth poczuł skurcz przerażenia. Ale nawet rozpaczliwie przerażony, bojąc się rzecz jasna o siebie, ale przede wszystkim o Laylę i swojego ojca, nie doświadczał jednak aż takiej paniki, by na ślepo rzucić się przez zarośla i przez noc, zanim instynktownie nie zapalił przed sobą latarki przyczepionej do lufy karabinu. A teraz, nie ustając w pośpiechu, widział w słabym promieniu światła straszne szczegóły, oszalałego z przerażenia Robesona, w którego rozdygotane ciało ohydny potwór wbił ponownie swoje straszliwe szczęki, odgryzając mu głowę i rozszarpując gardło!

Z bardzo bliskiej odległości Garth odstrzelił głowę latrowi. A gdy spieniona mięsista substancja rozbryzgała się wszędzie, zrobił to samo dla Arthura Robesona. Na tym świecie już nikt nie mógł mu bardziej pomóc. Choć był w strasznym stanie, nadal mógł zostać zmieniony w nieumarłego, a Garth nie widział powodu, żeby ryzykować swoją przyszłością, o ile w ogóle czekała go jeszcze jakaś przyszłość.

Kilka sekund później, gdy rozległo się wycie rozwścieczonych psów oraz krzyki, wrzaski i strzały od strony obozu, a sekundy te mijały powoli niczym minuty, podczas gdy przesycone żywicą powietrze napełniało się smrodem kordytu, a ziemia pod stopami zmieniła się w grzęzawisko liści i sosnowych igieł, Garth rzucił się do biegu, a serce waliło mu mocno, oczy zaś wyżerał piekący dym, aż wreszcie dotarł do brzegu ogromnego, teraz koszmarnego lasu.

Ale biegł zbyt szybko, zbyt nieostrożnie, nie unosząc powiek załzawionych oczu i nie widząc, gdzie trafiają jego stopy, będąc pewnym tylko jednego: że musi znaleźć Laylę, zanim odnajdzie ją coś innego.

Garth nie dostrzegł wystającego korzenia, o który się potknął i przewrócił, ani ogromnego, czarnego pnia wielkiego drzewa, przez który sam pogrążył się w jeszcze większej czerni i ciemności…

13

Choć Garthowi wydawało się to wiecznością, to dla zgromadzonych w obozie minęły zaledwie trzy lub cztery minuty, odkąd pierwszy z tuzina latrów wyłonił się spomiędzy gałęzi tworzących baldachim drzew. Chowały się one tam w górze, wśród liści tak gęstych i tak ciemnych, że nawet przy świetle słonecznym nie byli w stanie ich odkryć. No tak, niuchacze Garry'ego Maxwella i reszta psów wyczuły, że coś jest bardzo nie tak, ale czekając na swój czas, pewien odmieniec zaplanował swoją zasadzkę w sposób bliski doskonałości i siedząc na górze ze swoją kliką nieumarłych, patrzył i cierpliwie czekał.

To nie miało dla niego absolutnie żadnego znaczenia, że wiele dziesiątek wampirów, a gdyby spełnił się najczarniejszy scenariusz, cały rój, który ponad dobę temu wysłał przez rzekę do starego młyna, poniósłby prawdziwą śmierć pod ostrzałem obrońców klanu. Czym w końcu były dla niego takie stworzenia, poza rozrywką, mięsem armatnim, które miało wywabić członków klanu z obozu, który według jego oczekiwań mieli założyć gdzieś pod wielkimi drzewami. Ale mimo swojej przewrotności i przebiegłości nawet Ned Singer nie mógł przewidzieć, jak wspaniale urzeczywistni się zarówno jego plan, jak i nadzieje na przyszłość. Tak się przynajmniej wydawało…

Ned żałował tylko jednego: że Garth Slattery był jednym z tych, którzy poszli, aby uczestniczyć w obronie mostu. Ale przynajmniej Ned mógł szydzić z Gartha, a ze swoim skażonym przez wampiry, lecz niegdyś ludzkim umysłem mógł to robić nawet z pewnej odległości! To było coś, czemu nie był w stanie się oprzeć, coś, co robił już wcześniej, co było błędem, albo może i nie. Być może zrobił to umyślnie, żeby mieć Gartha w swoim zasięgu, ale w miarę jak jego umysł stopniowo, choć nieuniknienie nabierał cech i uwarunkowań umysłu nieumarłych, Ned miał trudności w ocenieniu nawet własnego działania. Jakakolwiek była prawda, nadal on zamierzał dręczyć Gartha, jak tylko dostanie tę dziewczynę, Laylę, w swoje chude i pajęcze, ale tak niesamowicie silne ręce latra, i nacieszy się ciepłem jej słodkiej, mocnej krwi płynącej przez jego wysuszone, pajęczynowate żyły!

O tak, zimna przyjemność, którą przyniosłoby mu wyśmianie prosto w oczy tego napalonego szczeniaka Slattery'ego, o ile horda z drugiego brzegu rzeki nie dorwie go pierwsza i o ile będzie miał tyle odwagi, żeby wrócić do obozu i swojej ukochanej Layli... O ile więcej przyjemności miałby, gdyby mógł go zabić i zjeść! Ale nie aż tyle, ile dałaby mu Layla, której ciało i krew miałyby tylko dla siebie przez niekończące się lata...

Ned zszedł z ogromnych drzew jako ostatni. Wysłał oprócz jednego tuzina wszystkich innych przed sobą, żeby pozabijali albo spalili ludzi znajdujących się w obozie. Niektórych z nich spotkała śmierć, która przyszła z góry, inni usłyszeli albo wyczuli ostrożny ruch w gęstej ciemności na górze i zareagowali odpowiednio, w efekcie trzech wysłanników Neda poniosło prawdziwą śmierć.

„Powoli, małpko, powoli"... Ten koncept zaszczepił Ned w galaretowatych umysłach wampirów poprzez telepatię, której paradoksalnie nauczył się od nich, ale jeśli chodzi o tłumienie ich nieustającego żarłocznego głodu... to go zupełnie przerastało!

Kiedy latry atakowały, robiły to tylko z jednego powodu: żeby się wypełnić krwią ofiar. Jeżeli jakaś ofiara przeżywała taki napad, stawała się wkrótce członkiem następnego pokolenia nieumarłych. Jednakże ze względu na swój niewyszkolony, ewidentnie podatny umysł Ned Singer, podobnie jak wcześniej zwiadowca Jack Foster, okazał się wyjątkiem. Obaj zostali uprowadzeni nie tylko z powodu ich ciała i krwi, chociaż większość krwi potem została wyssana, aby ułatwić metamorfozę, ale było jeszcze coś innego, a potwory wyczuły ich gotowość, aby tego dostarczyć: wiedza, która została zamknięta w ich ludzkich mózgach... kiedy jeszcze byli ludźmi!

W ten sposób latry przystosowały Neda do własnych potrzeb, a on w odwecie wykorzystał je dla swoich. Jego potrzeby dotyczyły zemsty: zniszczenia jego wrogów w klanie, zwłaszcza Zacha i Gartha Slatterych, a także tego przechwalającego się głupka Jona Lamona, a potem chciał zabrać tę dziewczynę, Laylę, i korzystać z niej, zmieniając ją tak, jak sam został zmieniony, naginając ją do swojej woli, do woli i potrzeb wampira, którym się stał i którym musi być teraz dalej już na zawsze.

Plan wydawał się Nedowi prosty, a jeszcze prościej było go zrealizować. Założył, że latry z drugiej strony rzeki, które bez wątpienia stracą wielu swoich w walce z obrońcami klanu, niemniej jednak szybko pokonają opór i zajmą obóz. Tam pozwoliłyby sobie na atak szału, a jemu zostawiłyby resztę.

Ale coś było nie w porządku, ponieważ Ned wyczuwał, a nawet odczuł sam, masową eksterminację! Od nieśmierci do prawdziwej śmierci – to najgorszy scenariusz, który w zasadzie całkiem zignorował, ponieważ to wydawało mu się sprzeczne ze zdrowym rozsądkiem. Wiązało się to oczywiście z przybyciem kuzynów z północy, z ich ludźmi, pojazdami i morderczą bronią. Ale Ned wyczuwał tylko gorąco, rozkład w najlepszym wypadku i tak niewyraźnych i wątłych myśli latrów oraz nieoczekiwaną, wszechogarniająca pustkę tam, gdzie był niesamowity, niespokojny strumień zagadkowej mentalności wampira.

Był jednakże jeden członek roju albo dwaj, których umysły były nieznacznie bystrzejsze, bardziej wnikliwe i świadome swojej jaźni, hojniej obdarzone niż większość, które najprawdopodobniej potrafiłyby dostać się do umysłów ludzi, a nawet zwerbować ich do prowadzenia takiego potwornego życia. Ciągle jeszcze nie wiedząc, co poszło nie tak, Ned postanowił skontaktować się z jednym z nich.

A przynajmniej jeden był blisko, w dole na brzegu rzeki, i uciekał na południe. Ale jak to uciekał?...

Ned wysłał mentalne pytanie, jedynie myśl:

– Dlaczego uciekasz? Od czego?

Odpowiedź pojawiła się na ekranie jego umysłu jak zamazany obraz:

– Od ognia i ołowianego żądła nieugiętych ludzi. Od strumieni palącego gorąca i od rozpadających się zwłok roztopionych w ogniu towarzyszy. Od śmierci, prawdziwej śmierci, która przyszła z północy, całkiem nieprzewidzianie, w ogniu i w gradzie żelaza! Jeżeli chcę jeszcze dożyć jakiejś nocnej uczty,

skosztować dobrej, słodkiej krwi, to muszę uciekać, bo inaczej…
Aaaaaaaaach!!!

Po tym długim westchnieniu kontakt się zerwał, a było to westchnienie ogromnej ulgi. Bo umysł, z którym połączył się Ned, nagle w jednym mgnieniu wysechł, być może naprawdę obrócił się w popiół, zanim rozpłynął się w zanikającym strumieniu telepatycznego eteru.

Wtedy pierwszy raz wampir Ned Singer poznał smak porażki, choć nie była to porażka jego całego planu, nie kiedy osiem latrów było jeszcze w obozowisku i nie dopóki nie nacieszy się swoją zemstą!

Nie, zdecydowanie nie wcześniej…

* * *

Ned, przywódca i pierwszy spośród członków swojej kliki, był też ostatnim, który na poły zeskoczył, na poły ześliznął się z korony drzewa. Kiedy kościstą stopą dotknął ziemi pokrytej kobiercem sosnowych igieł, usłyszał wycie psów i krzyki swoich dawnych pobratymców: mężczyzn, kobiet i dzieci. Rozbrzmiewały także wokół ochrypłe, żywiołowe przekleństwa, a także pojedyncze wystrzały, odzierające obozowisko z jego wymęczonego snu.

Big Jon Lamon był na nogach i stał przed swoim centrum dowodzenia, z karabinem przytroczonym do pasa i z drugim, trzymanym w ręce. Krzyczał do każdego, kto go słuchał:

– Światła! Potrzebujemy więcej światła! Jeżeli macie latarki albo lampki naftowe, włączcie je albo zapalcie! Musimy widzieć, co się dookoła dzieje. A wy, którzy strzelacie, kimkolwiek do cholery jesteście, upewnijcie się najpierw cholernie dokładnie, że nie strzelacie do swoich!

Była to doskonała rada, bo w tym siarkowym dymie i pachnącym sosną mroku rozjaśnianym sporadycznymi błyskami z luf karabinów i migoczącym światłem nielicznych latarek i lamp, ciemne sylwetki poruszające się jak duchy na zamglonym tle aksamitnego nieba mogłyby równie dobrze być ludźmi, jak i potworami.

Jeśli chodzi o pozostałe wampiry, osiem z nich z Nedem na czele nie miało takiego problemu. Dla tych nocnych stworzeń nieprzenikniony mrok okrywający obóz całunem mrok był jak dzień dla ludzkich oczu. Ale równocześnie paradoksalnie taki wzrok wampira był jego największą wadą, bo im ciemniejsza noc, tym jaśniej płonęły te dzikie oczy, wydając się komuś, kto je widział, jakby roztopionym złotem, a niekiedy srebrem.

Zach Slattery szedł przez ciemność, utykając, by dołączyć do Big Jona w stojącego w kapryśnym świetle rzucanym przez krztuszącą się oliwą lampkę postawioną w starym autobusie.

– Niech to jasny szlag trafi, psiakrew! – warknął Zach, wspinając się w górę w kierunku pojazdu, fachowo wrzucając naboje do komory pistoletu.

– To oczywiste, że to muszą być latry, ale tutaj w obozie? Skąd się wzięły, na miłość boską?

– Zeszły z drzew – odpowiedział Big Jon. – Don Myers widział jednego z nich i zastrzelił, zanim zdążył postawić stopę na ziemi! Wtedy usłyszał inne strzały od strony posterunków wartowników i domyślił się, co się dzieje. Przybiegł do obozu i prawie wpadł na mnie, jak wchodziłem do starego autobusu. Powiedział mi, co zobaczył, i odszedł w ciemność, żeby zabijać kolejne latry! Zostaliśmy wciągnięci w zasadzkę, Zach! One czekały na nas w baldachimie drzew, wykazując się niespotykaną inteligencją, cierpliwością i być może nawet dyscypliną! Utalentowane śmieci!

– Zbyt utalentowane! warknął Zach. – A co do dyscypliny, chodzi ci o posłuszeństwo rozkazom? Czyli mówisz, że Garth miał rację, tak?

– Co do Neda Singera? – tamten skinął głową. – Tak, myślę, że tak. Ale uważaj! – Przykucnął i podniósł swój rewolwer, i wycelował go, jak się zdawało, prosto w swojego przyjaciela. Ale to było tylko złudzenie!

Za Zachem stała postać prosto z koszmarów sennych, z rozwartymi szczękami, wrzecionowatymi rękami wyciągniętymi do przodu, jarzącymi się na żółto od siarki oczodołami.

– Uciekaj! – wrzasnął Big Jon, ale Zach już przetaczał się bokiem w intuicyjnym, kontrolowanym upadku, obracając się i jednocześnie padając na ziemię. Wypalili jednocześnie. Klatka piersiowa latra zapadła się od wystrzału dubeltówki Zacha i jego prawe oko wpadło do środka, eksplodując żółtą pianą, kiedy trafiła w nie pojedyncza kula wystrzelona przez Big Jona. Wtedy stwór westchnął po raz ostatni i jego trup opadł na ziemię.

– Jak za dawnych czasów, co? – Zach złapał oddech, krzywiąc się z bólu, kiedy lider klanu chwycił jego rozpostartą rękę i postawił go na nogach. – Jak wtedy, kiedy przeczesywaliśmy razem ulice, a czasami chodziliśmy polować na krwawe wampiry!

– Nie, Zach – zaprotestował Big Jon bez tchu, potrząsając głową. – Nie całkiem. Bo teraz to one na nas polują, a jeden z nich kieruje tym polowaniem! Ale co tam, psiakrew, chodźmy znaleźć i zabić jakieś latry, co ty na to?

– A pewnie! – chrząknął Zach. – Jak najbardziej. Ale Garth jest gdzieś tam, myśląc, że nas ochrania, podczas gdy jego żona jest tutaj sama. Zanim cokolwiek innego zrobimy, powinniśmy znaleźć tę dziewczynę i upewnić się, że jest bezpieczna. Co ty na to?

– Widziałem ich tu wcześniej, jak rozbijali namiot – odpowiedział jego rozmówca, kiwając głową. – Myślę, że ona tam jest. Chodźmy.

I nie marnując już więcej słów, ci dwaj starzy przyjaciele, starszyzna klanu, poszli w stronę dymiącego, drżącego od przemieszczających się w nim cieni, śmierdzącego korytem i groźnego, aksamitnego mroku.

A tym czasem choć otoczone, znacznie przetrzebione, ale nadal potworne i bezlitosne, żyjące jeszcze latry z ekipy Neda, która przygotowała zasadzkę w konarach drzew, nie ustawały w swoim morderczym procederze…

* * *

Zostało tylko trzech ludzi… Ned nadal myślał o tych stworach, które razem z nim wspięły się na konary drzew, jako o „ludziach", ponieważ wiedział, ze kiedyś nimi byli. To była jedna z nielicznych pozostałości po dawnym życiu, a wybrał swoją jedenastkę, bo nawiązał z nimi jakieś dziwaczne porozumienie, nie takie jak z tymi, których uważał za przywódców roju, ale na tyle silne, że ich obecność, świadomość ich istnienia, wciąż była w jego umyśle, jak obraz twarzy, które rozpoznałby w tłumie. Chcąc jakoś wytłumaczyć to poczucie zażyłości, Ned doszedł do wniosku, że prawdopodobnie też zostali oni odmienieni ostatnio i widać było, podobnie jak u niego, jakieś ślady ich poprzedniej, ludzkiej mentalności i dlatego nadawali na tych samych falach.

Gdyby wszystko poszło po myśli Neda, mógłby stworzyć własny rój, ale do tego trzeba było pokonać obrońców mostu i podbić obóz w lesie. Jego przygotowujący zasadzkę oddział mógł przetrwać nieznaczne straty, ale większość, która by przeżyła, mogłaby nawet teraz skupić się wokół Neda.

Tak właśnie powinno się stać, ale gdzie był jego zalążek roju i jego jedenastu „ludzi" teraz?

Było ich jedenastu, tak, ale zaraz po zejściu z drzewa zostało ich tylko ośmiu. Wtedy, gdy obóz zaczął się budzić z powodu tumultu dobiegającego od strony rzeki i mostu, a jeszcze bardziej z powodu dźwięków strzałów i krzyków przestrachu, ich liczba szybko malała: siedem, sześć, pięć i cztery. Tak było jeszcze chwilę temu, nawet gdy szukał ich w telepatycznym eterze, to wtedy akurat jeszcze jedno umysłowe połączenie, jak matowo błyskająca nitka w umyśle Neda, zostało zerwane, i pozostało mu tylko trzech.

Tylko trzech z jego latrów, wybranych specjalnie do jego ochrony, pilnowania go, kiedy będzie się mścił na tych znienawidzonych ludziach, kiedy jego ofiarami zostaną: Garth Slattery, jego stary, kaleki ojciec, i Big Jon Lamon, ich tak zwany lider.

Dobrze, tamtego można zabić natychmiast i zjeść, ale obu Slatterych Ned utrzymywałby przy życiu na tyle długo, żeby byli świadkami rozpoczęcia tego, co zaplanował dla Layli, tego, na jak wiele sposobów by jej używał, żeby te plany przyniosły owoce!

Och taaak! To właśnie zaplanował, tak to miało przebiegać... ale teraz?

Teraz wszystko wyglądało inaczej i Ned jak dotąd nie zrealizował swojej zemsty, nie nasycił żądzy. Ale miał jeszcze czas na zmianę planów! Na przykład co do dziewczyny...

Strzały w obozie, i tak sporadyczne, zupełnie już ustały, bo większości uzbrojonych ludzi poszła w stronę rzecznej przeprawy, co oznaczało, że Ned zapewne znajdzie Laylę bez ochrony i bez możliwości stawiania oporu.

Zabrałby ją do lasu i miał dla siebie zarówno jej ciało, jak i krew! Potem, gdyby ten szczeniak Slattery przeżył nad rzeką, podobnie jak jego ojciec, pewnie obaj wyruszyliby na poszukiwania Neda. Właściwie mógłby zostawić im jakiś trop, za którym mogliby podążyć! Bo Ned wiedział, że w ciemnym sercu lasu on i jego ludzie, zakładając, że do tego czasu ktoś z nich przeżyje, mają przewagę.

W ten sposób on kontynuował realizację swojego planu, napędzany nienawiścią, niegdyś ludzką żądzą i pragnieniem krwi właściwym dla latrów. A skoro teraz przyszłość wydawała się niepewna i mimo że coraz trudniej było mu rozsądnie myśleć, to przecież nie wszystko było stracone. Nie, zemsta była tak blisko, że niemal czuł jej smak, i Ned wiedział, że musi doprowadzić swój plan do jakiegokolwiek końca!

Pod ogromnymi drzewami był kurz, dym i ponura ciemność, ale dla oczu Neda było tak jasno jak w świetle dnia, którego nie był już w stanie znieść. A mimo że tylko trzy latry z jego pierwotnej ekipy pozostały, aby go bronić podczas następnej fazy jego nieustannie ewoluującego planu, to nadal dysponowały one nadprzyrodzoną siłą i nieczułą dzikością, i to musi mu wystarczyć.

Poruszając się teraz bardziej celowo, z rozbłysłymi na żółto oczami i rozedrganymi nozdrzami wciągającymi zadymione powietrze, Ned opuścił dotychczasowe stanowisko i poszedł w kierunku środka obozowiska. Stanął przy swoim drzewie i wezwał swoich trzech strażników, aby porzucili, cokolwiek robią, i dołączyli do niego przy źródle pewnego zapachu, którego nie da się pomylić z żadnym innym. Dla niego to były prawie perfumy, ten słodki zapach młodego kobiecego ciała, dla Neda unikatowy niczym odcisk palca. Wyostrzone zmysły wampira nieomylnie wiodły go przez noc, a żądza płonęła w nim z całą swoją intensywnością. Rozpoznałby ten zapach wszędzie…

14

W samym momencie, kiedy ocalali współpracownicy Neda otrzymali jego wezwanie, najbliżej Layli, która stała zmieszana i niepewna nieopodal wejścia do jej prowizorycznego schronienia, znajdował się jeden z najstarszych i najohydniej zmutowanych potworów, ale jednocześnie jeden z najlepiej rozwiniętych umysłowo i fizycznie.

Wysoki na dwa metry i chudy jak pająk, z długimi włosami, które powiewały za nim, jak szedł, a zwisały mu prawie do pasa, kiedy stał, był na swój sposób człekokształtny, ale dotychczas pozbawiał się wszelkich resztek człowieczeństwa i stawał się dosłownie obcym. Miał ręce dłuższe nawet od włosów i cienkie jak gałązki, dłonie z palcami o szponach długich na czterdzieści centymetrów, i jedną z nich właśnie zwinął w pięść i wyrzucił przed siebie w geście typowym dla latrów. Jego gorejące oczy jarzyły się intensywną bielą, jak kropelki stopionego metalu. Jednak od wszystkich tych anomalii razem wziętych gorsze były rozwarte szczęki, z których kapała świeża krew, a z ostrych zębów zwisały strzępy ludzkiej skóry i surowego ciała ostatniej ofiary!

Layla nie zdołała go najpierw zobaczyć, dostrzegła tylko dwa niesamowite cienie, wydłużone, zasłonięte dymem, sięgające w jej kierunku i wyrastające znikąd! Ale nie widziała wtedy jeszcze, że nie są zakończone szponami, lecz wylotami broni!

Z pomyłki zdała sobie sprawę ułamek sekundy po tym, jak rzuciła się do ucieczki. Przecież znała ich obu, to był Zach Slattery i Big Jon Lamon! Ale w tym samym momencie dostrzegła trzecią postać zmierzającą niecierpliwie w jej stronę, celowo z przeciwnego kierunku, bardzo wysoką, bardzo chudą postać... o płonących oczodołach!

Podobnie jak Zach i Big Jon starożytny wampir był również otoczony konturami stworzonymi przez poblask światła pochodzącego z małej lampki olejnej, którą Layla zawiesiła na wystającej poprzeczce swojego namiotu, ale bez względu na okoliczności, w mroku czy w migotliwym świetle, tego stwora nie można było pomylić z niczym innym. I znów Layla obróciła się na pięcie, tylko po to, żeby się potknąć i dosłownie wpaść w ramiona swojego teścia.

Zach, straciwszy nagle równowagę z powodu nieoczekiwanego zderzenia z Laylą, zostawił zdrową nogę w tyle, przewrócił się, ale i tak zdołał zamortyzować upadek dziewczyny. Tylko że wypuścił z ręki na chwilę swoją dubeltówkę.

A tymczasem Big Jon zobaczył przyczynę nagłego i pełnego przerażenia skoku Layli.

– Boże, pomóż nam! – wyszeptał modlitwę, a latr rzucił się w jego kierunku, przyspieszając nagle. Był to pełen furii atak, z rozwianymi białymi włosami i strzępami ubrania furkoczącymi za napastnikiem. Nie będąc w stanie nic zrobić tak szybko, Big Jon wstał. Przymierzył się do celu, ale ręka drżała mu nieznacznie. Pozwolił koszmarnemu stworzeniu trochę się zbliżyć, o jakieś dwa albo trzy kroki, a potem nacisnął spust... ale nic się nie wydarzyło!

Zła amunicja, znowu!

– Jezu Chryste! – Tym razem, kiedy stało się jasne, że nie ma żadnej drogi ucieczki, słowa Big Jona były zaledwie jękiem. Poczuł, jak miękną mu kolana, i opadł na pokrytą liśćmi ziemię, jednak nawet czołgając się, wciąż cały czas bezskutecznie szarpał za spust swojego zabytkowego rewolweru w nadziei, że przynajmniej jeden pocisk wypali. Nic z tego, cała nadzieja poszła na próżno, a do tego upadłszy prawym bokiem między korzenie drzewa, Big Jon nie mógł teraz wyszarpnąć swojej dodatkowej broni podręcznej zza pasa!

Tymczasem w całym swoim pośpiechu ku zaskoczeniu wszystkich stary latr zignorował zupełnie leżącego na ziemi Big Jona, w końcu nie po niego tu przyszedł. A kiedy lider klanu zrezygnował z prób dobycia zapasowej broni, która utknęła w pułapce pod jego ciężkim ciałem, i zaczął zamiast tego gmerać w kieszeniach kurtki w poszukiwaniu nabojów, jakimi mógłby zastąpić wadliwe kule, które wytrząsał właśnie z rewolweru, pędzący na nich stwór zatrzymał się nagle w zadziwiającej ciszy. Jedynie zerknął na Big Jona, a potem po prostu odwrócił się od niego! Stąpając bardzo ostrożnie ponad Zachem i Laylą ciągle połączonymi w wymuszonym uścisku, pajękowaty potwór zgiął się wpół i uwięził ich pomiędzy swymi czterema kończynami!

Próbując uwolnić się od Zacha, który po omacku i rozpaczliwie szukał wśród igieł i liści swojej dubeltówki, Layla obróciła się na plecy. Spojrzała w górę prosto na przypominającą czaszkę ohydną głowę latra, i nawet chciała krzyknąć, ale nie była w stanie. Przestała oddychać, brakowało jej powietrza, a gardło miała wyschnięte na pieprz. Mogła najwyżej przyglądać się bezradnie tym jaskrawym, żarzących się w mroku orbitom, które wydawały się wraz z każdą przemijającą chwilą coraz bliżej przelania się przez krawędzie i rozlania na nią tych kropel płynnego metalu! Och, Layla wiedziała, że była to tylko iluzja, sam pomysł był istotnie przerażający.

Patrząc na nią tymi koszmarnymi oczyma, potwór przechylał głowę to w jedną, to w drugą stronę. Wypełniał bardzo nietypowe instrukcje, nie tyle rozkazy, ile wskazówki, które były wyjątkowo obce jego naturze. Ale normalnie dysfunkcyjny organizm zbiorowy, jakim był rój, wzbogacił się ostatnio o człowieka, istotę ludzką, a co bardzo rzadkie, dał jej pewną władzę. A wszystko prawdopodobnie dla dobra roju jako całości.

Może i tak, ale gdzie teraz jest większość roju?

Podobnie jak Ned stary latr przeczuł eksterminację wielkiej liczby członków roju, tam w dole rzeki, przy przeprawie, i było teraz oczywiste, że poroniony plan adoptowanego przez rój człowieka zawiódł na całej linii. Nie będzie dziś szału ucztowania, nie będzie tworzenia nowych wampirów, nie w tym zdziesiątkowanym roju!

Ale... nie każdy wampir musi odejść głodny, a jak mogła smakować ta młoda kobieta, ten delikatny kąsek? Dziewczyna o słodkim ciele i jeszcze słodszej krwi.

Przygarnięty człowiek, ten zdrajca własnego gatunku, chciał ją mieć dla siebie. W zamian miał zrobić wszystko, co tylko było możliwe, żeby umożliwić rojowi nasycenie się tymi wędrowcami, którzy kiedyś potraktowali go tak źle, ale tylko o ile dziewczyna została przeznaczona do jego wyłącznej dyspozycji, do niego samotnie. Rzeczywiście, ona i garstka jego wrogów byli bardzo ważni, wybijali się w jego myślach na plan pierwszy, i w ogóle byli kluczowi dla całej intrygi, która okazała się tak szkodliwa, tak katastrofalna dla roju. I pradawny wampir uważał, że także Ned powinien zapłacić, ponieść karę za to niepowodzenie, za które był przecież odpowiedzialny.

Tak, a narzędzie kary było teraz w jego zasięgu…

Wszystkie te myśli, wcale nie tak mgliste, przepłynęły przez głowę latra w jednym mgnieniu siarkowego oka, a potwór podniósł swoją prawą stopę z sosnowych igieł, postąpił krok naprzód i użył haczykowatego paznokcia u nogi, ostrego jak brzytwa, by rozciąć suknię Layli z pięknie wyprawionej skóry od głębokiego dekoltu aż po kolana, a potem rozerwał ją na dwie części i odkrył nagie ciało dziewczyny.

Sparaliżowana grozą Layla nie była w stanie kiwnąć nawet palcem w swojej obronie, a teraz szczęki potwora rozdziawiły się szeroko, jego szkarłatny język oblizał zniszczone wargi, a potem ten sam haczykowaty szpon przesunął się powolnym, wykalkulowanym ruchem do jej piersi! Zamiary starożytnego stwora stały się doskonale oczywiste, kiedy zgarbił się i przysunął swoje zaślinione, rozwarte szczęki do jej drżącego ciała. Jednym tylko gwałtownym ukąszeniem ten potwór mógłby przeciąć jej pierś tak łatwo, jak ciepły nóż przechodzi przez masło, odłączając jej miękką tkankę od klatki piersiowej…

…Ale to nie miało się tak skończyć.

Leżący tuż obok Layli Zach zorientował się, co chce zrobić stary latr, i zrezygnował z gorączkowych poszukiwań dubeltówki, a zamiast tego wyrzucił wysoko w górę ręce, aby go odepchnąć. Lecz chociaż ciało potwora było bardzo wysuszone, szorstkie i lodowate w dotyku, jak przystało na ciało kogoś dawno umarłego lub przeciwnie, nieumarłego, to odznaczało się nieprawdopodobną wagą i siłą, tak że zdesperowany Zach jęknął, kiedy uświadomił sobie, że jego ręce osłabną albo się złamią, ale nigdy nie zdołają powstrzymać tej przerażającej, nieludzkiej siły.

Po drugiej stronie Layli, w odległości niecałego metra, Big Jon Lamon przestał szamotać się w daremnych próbach podniesienia się spomiędzy śliskich, splątanych korzeni i przeładowawszy swój rewolwer podniósł go, wycelował w głowę starego wampira i zaczął raz za razem szarpać cyngiel, a potem głośno się rozszlochał i odrzucił na bok bezużyteczną broń!

– Niech szlag trafi tę cholerną amunicję! – Myśli Big Jona rozbiegły się chaotycznie, a jego umysł męczył się, szukając jakiegoś cudu, i wciąż go nie znajdując, aż wreszcie pojawiła się nadzieja: – Gdybym tylko... Gdybym tylko miął nóż!

Co? Nóż?

Ale przecież miał nóż! Zawsze nosił przy sobie nóż, czy też raczej maczetę, której używał do wycinania przejścia przez splątane albo gęste poszycie, albo do rozbijania obozowiska, albo kiedykolwiek tylko potrzebował jej ostrego, ciężkiego ostrza, jak wówczas, gdy odciął nią pas przytrzymujący karabin maszynowy Neda Singera. Tylko że po prostu nigdy nie przewidywał ani nawet nie wyobrażał sobie tego, aby użyć jej w walce wręcz ze starożytnym latrem, to wszystko. Nigdy, bo jako dawny zwiadowca Jon Lamon wystarczająco dobrze pamiętał, że po to właśnie wynaleziono broń palną... bo ona się sprawdzała!

Ale teraz...

Wysunął maczetę z natłuszczonego skórzanego futerału przytroczonego do szerokiego pasa i mimo że znajdował się w niewygodnej pozycji, wciśnięty od pasa w dół między rozwidlające się korzenie, skręcił się mocno i wyszarpnął broń, na kilka centymetrów od ziemi, z całą siłą, na jaką mógł się zdobyć. A chwilę później rozległ się ryk:

– Aaaaaaaaaa!

Lider westchnął z satysfakcją, bo chociaż stare, chude i żylaste kończyny potwora były zwodniczo silne, nie mogły się oprzeć ostremu jak brzytwa ostrzu jego maczety. Uzbrojona w szpony prawa stopa wampira, przypominająca raczej łapę, już miała ścisnąć lewą pierś Layli, a rozwarte szczęki i żółte kły oddalone nie więcej niż dziesięć centymetrów od wijącego się ciała dziewczyny drżały z oczekiwania na wyjątkowy kąsek, kiedy dużym, zakrzywionym ostrzem Big Jon posiekał prawy przegub stwora, zupełnie wytrącając go z równowagi!

Jęcząc, sycząc z bólu i szybko cofając prawą stopę w próbie odzyskania tej równowagi, potwór zachwiał się i zaczął się przewracać. Wtedy, jakoś odzyskawszy kontrolę, odwrócił swą ohydną głowę, żeby wyładować rozszalałą nienawiść na napastniku. Ale lidera klanu krew już zalała, a chociaż to była jego własna krew, to odraza pozwalała mu czuć się przynajmniej równym przeciwnikiem tego groteskowego wroga!

A na wpół okaleczony stwór jeszcze bardziej zdecydowanie pochylił się w jego stronę, więc znów machnął maczetą.

Jego siła, odnowiona witalność płynąca z odniesienia choćby połowicznego sukcesu, sprawiła, że energia i czysty impet drugiego ciosu Big Jona pomógł mu wyrwać się spomiędzy rozwidlonych korzeni. I na tym nie koniec, tym razem mógł lepiej złożyć się do pchnięcia, pokierować nim, żeby prawa stopa latra i jego szponiaste paluchy już nigdy nikomu nie zagrażały!

Lamentując zarówno nad swoją frustracją, jak i nad samym bólem, potwór po omacku rozgrzebywał liście, wzbijając w powietrze tumany pyłu i sosnowych igieł, szamocąc się i podskakując niczym jakiś kaleki trujący owad. Zapomniał już o dziewczynie i zwrócił się przeciwko swojemu dręczycielowi, starając się do niego jak najbardziej zbliżyć. Big Jon turlał się, uciekając od niego to w jedną stronę, to w drugą, utrzymując rozsądną odległość od stwora.

W końcu stanął na nogi i schwyciwszy maczetę w lewą rękę, sięgnął po omacku do skórzanego pasa tam, gdzie miał przypiętą dodatkową broń… tylko po to, żeby przekląć swego pecha. Kabura była na miejscu, ale pusta! Musiał zgubić rewolwer gdzieś w gęstwinie liści i jeszcze gęstszej od niej ciemności.

Teraz, kiedy stary latr lepiej już poznał umiejętności Big Jona we władaniu maczetą, i widząc, że stanął na nogi, odzyskał jakoś równowagę i znów przeniósł uwagę na Laylę i Zacha. Oni także zdołali wstać, a Zach, odzyskawszy swoją półautomatyczną dubeltówkę, potrząsał nią właśnie szaleńczo, próbując usunąć pył z jej zatkanej lufy. Latr rzucił się na niego.

Tymczasem Ned Singer i pozostali dwaj członkowie jego ekipy lecieli razem w ten niezwykły, właściwy tylko latrom sposób, wychylając się mocno do przodu. Przemierzali ciemność przesyconą wonią sosen i kordytu, i trafili w samą porę, żeby na własne oczy zobaczyć, co miało za chwilę nastąpić: dobicie jednego z najstarszych latrów przez działających ramię w ramię Zacha i Big Jona.

Atakując zza pleców stwora, który chwiał się, opierając się na jednej nodze, żeby odciążyć zranioną kostkę, lider klanu kucnął nisko i z całej siły wymierzył maczetą cios prosto w jego lewe kolano. Kości, które wydały się tak bardzo mocne, okazały się kruche jak kreda. Wyraźnie chrupnęły, kiedy zabójcze ostrze Big Jona walnęło w nie bez opamiętania, i po chwili noga odpadła z trzaskiem, rozpryskując wokół żółtą breję. Prawe kolano latra zgięło się, lewy kikut zapadł się w mokre liście, a przed chwilą jeszcze przerażający potwór został zredukowany do wysokości niewiele przekraczającej półtora metra! Rozpaczliwie wymachując rękami, starał się na próżno utrzymać równowagę, a wtedy Zach przeładował dubeltówkę, przytknął lufę do podbródka wampira, gdy ten zakolebał się do przodu, i pociągnął za spust. Gorący wybuch z pięciocalowej lufy eksplodował na pysku potwora, a siła odrzutu znów zwaliła Zacha z nóg, ale on sam był zaledwie ogłuszony, podczas gdy głowa latra rozbryznęła się dookoła, rozrzucając wokół strugi cuchnącego miąższu!

Stary potwór nie żył, owszem, ale teraz, nie licząc maczety Big Jona, Layla i dwaj mężczyźni byli bez broni. I właśnie wtedy wypłynął na nich z dymiącej ciemności najgorszy koszmar Layli, który miał stać się rzeczywistością jeszcze bardziej przerażającą niż nocna mara: trio złożone z dwóch ostatnich latrów Neda Singera oraz – co najgorsze – także z Neda we własnej osobie!

Głos Neda przypominał zgrzytliwe westchnienie, ale mimo to szarpał nerwy tak jak zgrzytanie łopaty po wystygłych popiołach, a on podpłynął bliżej i wyciągnął ku niej swoje długie ręce.

– Ach, Laylaaa! Jaki jestem szczęśliwy, że cię znów widzę. Ale patrzcie no… – jego płonące oczy zatrzymały się na jej nagości, na miejscach odsłoniętych przez rozprutą suknię. – Chyba wiedziałaś, że nadciągam, skoro się tak ślicznie przygotowałaś! Doceniam to… aaaach! – Jego dolna szczęka opadła, pozwalając swobodnie ściekać żółto-szaremu szlamowi.

Trzy potwory rozdzieliły się, a każdy ruszył w kierunku wybranego celu: Ned do Layli, pozostali dwaj do Zacha i Big

Jona. Czując, że jego zemsta jest tak blisko, Ned chichotał tak obrzydliwie, jak obrzydliwie pękają czarne bańki tworzące się w oleistym bagnie, a Layla obróciła się, by uciec, potknęła się na korzeniu i raz jeszcze padła na ziemię w lesie.

W następnej chwili stał już przy niej. Nadal wyglądał jak Ned, może tylko szczuplejszy i mniej stabilny, ale poza oczami i wysłużoną szczęką wcale się nie zmienił. Żądza Neda, jednak-że to zupełnie co innego: dosłownie z niego promieniowała! Żądza, nienawiść i bezlitosne okrucieństwo w każdym jego ruchu, w każdym słowie, gdy wysyczał:

– Brakuje tylko jednego, taaaak! Tego napalonego młodego Slattery'ego, którego wolałaś ode mnie! Ale Ned Singer, męż-czyzna, którym kiedyś był, ciągle jest tu w środku… A wkrótce będzie w tobie! Ale gdzie ten napalony szczeniak jest teraz, co? Och, cha-cha-chaaaa! – Pochyliwszy się, złapał ją za przegub i postawił bez wysiłku na ziemi.

– Och, nie kul się tak! – powiedział, gdy spróbowała się od niego odsunąć. – Możesz być Laylą jeszcze chwilę dłużej, przy-najmniej dopóki cię nie spróbuję i nie przetestuję. Och tak, naj-pierw przetestuję, a potem posmakuję! To najmniej, co mogę zrobić: pozwolić ci być Laylą, którą znam tak dobrze, ale nigdy wystarczająco dobrze, aż będziemy się dzielić i tym, i tym, i tamtym…. ale głównie tamtym, dopóki nie dojrzejesz do prze-miany. Bo niewiele jest zmysłowości w nocnym życiu wampirzej panny młodej wampira, a powinnaś dostać jej tyle, ile ci się na-leży, więc korzystaj, dopóki możesz. Będę cię miał taką, jaka jesteś teraz, a potem będę cię miał na zawsze taką, jaką się sta-niesz!

Nadal odsuwając się od niego, Layla próbowała się mu wy-rwać, ale Ned tylko się zaśmiał i mówił dalej:

– Zastanawiałem się nad tym, żeby zatrzymać tego tak zwa-nego „lidera" i tego starego kalekę, żeby patrzyli, jak cię zado-walam, ale… aaaach! – Zdawszy sobie nagle sprawę, że coś się zmieniło, przewiercał srebrzystymi oczyma ciemność na wylot, wodząc po niej wzrokiem, aż wreszcie podjął temat trochę szyb-ciej: – Ale nie, nie tutaj i jeszcze nie teraz. Zamiast tego to my popatrzymy sobie na nich, na to, jak obaj umierają!

Choć niesłyszalne dla ludzkiego ucha, rozkazy Neda trafiały do stwora stojącego obok Zacha, który leżał oszołomiony i ogłuszony między liśćmi, a także do wampira, któremu Big Jon stawiał czoła, wymachując maczetą. A teraz te dwa potwory zaczęły poruszać się bardziej celowo. Jeden zgarbił się i sięgnął po Zacha, a drugi ruszył na Big Jona, nie zważając na wymierzoną w niego ubłoconą broń.

Tymczasem w pozostałej części obozowiska życie zaczęło wracać do czegoś, co przypominało normę. Głosy, nerwowe i natarczywe, ale już bez takiego przerażenia, rozlegały się na całym terenie, a nawet mrok zaczął się rozpraszać, coraz więcej lamp zaczęło migotliwie budzić się do życia. Nieopodal męski głos wołał:

– Tu następny! O mój Boże! To młody Greg! Zaatakowały go, wyssały krew... ale nie jest martwy! Przepraszam, Greg, ale dobry Bóg mi świadkiem, że nigdy nie będziesz nieumarłym! – Po tych słowach rozległ się zdecydowany, wzbudzający echo odgłos wystrzału...

Inne głosy nawoływały, odpowiadając siebie przez długość i szerokość obozu. Pojawiały się inne wystrzały, a także zawodzenia kobiet i dzieci, a nawet mężczyzn. Zarżniętymi, umarłymi i nieumarłymi zajmowano się tak samo miłosiernie i szybko, jak tylko się dało, nieodwołalnie odmawiając potworom możliwości powrotu do zdrowia.

Od strony mostu nad rzeką dobiegały połączone krzyki obrońców: głosy tych ludzi, którzy pobiegli do skrzyżowania z drogą prowadzącą do mostu, aby pomóc drużynie Gartha. Wracali do lasu przygotowani na walkę, nie wiedząc, czego oczekiwać, nie wiedząc, że atak z zasadzki i walka już się niemal skończyła, zagrożona była tylko Layla Slattery i dwaj mężczyźni, którzy ryzykowali życiem, aby ją obronić.

Ned Singer dostrzegł niebezpieczeństwo. Ludzkie postacie biegały w pośpiechu we wszystkich kierunkach, smugi światła z ich latarek przecinały bladymi pasmami ciemność, a ich ochrypłe głosy podążały przed nimi, gdy tylko się zbliżali.

– Big Jon, to ty? – głos głównego technika Andrew Fieldinga. I zaraz za nim:

– Co do diabła…? – zgrzytliwy ton szefa obwodu Dana Myersa, który razem z Fieldingiem wyłonił się z mroku.

– Tutaj! – krzyknął lider klanu, wycofując się przed napastnikiem, który stosował zwodnicze, prawie bezcelowe pozorne posuwanie się naprzód, co istotnie było sprytnym manewrem, dzięki któremu wampir był coraz bliżej. Ale przybysze już wiedzieli, co się dzieje, choć ich wiadomości nie były kompletne.

Dostrzegli Zacha leżącego na wznak w sosnowych igłach, dźgającego stwora, który nachylał się nad nim, lufą dubeltówki, dostrzegli Big Jona w śmiertelnym tańcu z jego prześladowcą, ale nie zdołali dostrzec Neda Singera, który zatkał usta Layli swoją ogromną łapą i częściowo wlókł ją, częściowo niósł do kryjówki za ogromnym pniem wiecznie zielonego olbrzyma.

A tam, w bezpiecznym schronieniu nieco głębszego mroku, wyszeptał gardłowo prosto do jej ucha:

– Nie ma dla nas tutaj żadnej rozrywki, droga Laylo. Więc wygląda na to, że sami się musimy o nią postarać, ale w bezpiecznej odległości od tego miejsca, co? – a potem zaczął gwałtowne poszukiwania szlaku prowadzącego stąd do stanowisk wartowników i jeszcze dalej, do ciemnego serca lasu.

Ale nawet w trakcie wypełniania tego zadania zupełnie znienacka odezwał się:

– Co to jest?

Ned zastanawiał się. To dziwne, drażniące uczucie gdzieś w tyle głowy, coś niewyraźnego, lecz dziwnie znajomego… kontakt? Kto albo co sondowało jego najgłębsze myśli i kto go przez nie śledził?

Potem Ned powęszył trochę w powietrzu i swoimi zmysłami wampira spenetrował noc. I co to jest, albo kto, ten ponury kształt jawiący się przed nim tak pewnie i zdecydowanie poprzez mrok? Na pewno żaden latr z drużyny Neda Singera, to jasne! Nie warto się dalej zastanawiać, bo posiniaczona i poobijana postać była już coraz bliżej. W końcu Ned rozpoznał Gartha Slattery'ego, kiedy jednocześnie usłyszał jego mściwe słowa:

– Powoli, małpko, powoli, Ned! – Ten gorzko lodowaty głos przeszył boleśnie jak nóż umysł wampira. A potem usłyszał znów:
– Powoli, małpko, powoli, ty obleśna nieumarła świnio!

* * *

Zaledwie piętnaście kroków dalej, zasłonięty przez pień potężnego drzewa, Dan Myers wycelował ze swojej półautomatycznej strzelby i strzelił prosto w nogi napastnika, który dreptał dookoła Big Jona, i pozbawił go równowagi. Dostał się w ten sposób w ręce swojej niedoszłej ofiary, bo strzał Myersa rozwalił mu jedno kolano. Lamentując i machając rękami, stwór przewrócił się na bok. Big Jon zobaczył swoją szansę, zrobił jeden mały krok naprzód i wycelował druzgocące uderzenie w chudą szyję wampira. Jego głowa się oderwała i poleciała gdzieś na bok, jego ciało zapadło się w sobie i opadło na gąbczastą ziemię, przechyliło się i pozostało tak bez ruchu.

Teraz Myers odwrócił się do napastnika atakującego Zacha, wziął go na cel i pociągnął za spust. Przeklęta broń się zacięła! Myers rozejrzał się za Andrew Fieldingiem i zobaczył, jak mały, nerwowy główny technik z irytacją wymachuje masywnym, brzydkim karabinem maszynowym.

– To nie działa! – krzyknął Fielding drżącym głosem. – Myślałem... myślałem, że naprawiłem tę przeklętą rzecz, ale to nadal nie działa! Nie chce strzelać!

– Spróbuj ruszyć ten cholerny zamek! – wrzasnął Myers, starając się po omacku trzęsącymi się palcami naprawić swój własny karabin.

Poirytowany tym, że Zach dźga go lufą swojej broni, wampir, który przeżył, zareagował na strzał, który zabił jego towarzysza. Kiedy się wyprostował, odwrócił głowę od Zacha, żeby zobaczyć, co się stało. Zach zdołał oprzeć się na swoim zdrowym kolanie i stękając z powodu bólu, jaki przyniósł mu ten wysiłek, wstał i z całej siły wepchnął lufę dubeltówki głęboko w pachwinę stwora. Ten, sycząc wściekle, wyrwał dubeltówkę ze swojego galaretowatego ciała, gwałtownie wyszarpał ją z ręki Zachowi i odrzucił daleko. Rozwścieczony ruszył znów na swego dręczyciela. Teraz nic go nie zatrzyma, ten bezbronny kaleka nie będzie sprawiał najmniejszych problemów!

Ale Myersowi w końcu udało się usunąć nabój, który utkwił w lufie karabinu. Załadował go ostatnią kulą, ostrożnie wycelował i rozwalił głowę potwora...

Wtedy na jedną krótką chwilę zapadła cisza, oprócz unoszącego się dymu wszystko tkwiło w kompletnym bezruchu. Ale gdy tylko Big Jon postawił Zacha na nogi, usłyszeli głos dziewczyny. Był to pełen przerażenia głos Layli dobiegający gdzieś z bliska:

– Garth, uważaj!

– Garth! – krzyknął Zach. – Layla!

I z pomocą Big Jona poszedł utykając w stronę, skąd dobiegał głos dziewczyny.

A po drugiej stronie wielkiego drzewa Ned dostrzegł karabin w rękach Gartha, zobaczył, jak lufa przyjmuje groźną poziomą pozycję, a jego znienawidzony wróg nachyla się nad bronią, nie spuszczając z niego wzroku. Pchnął Laylę przed siebie, między siebie a poobijanego, kulejącego, ale zdeterminowanego Gartha, i zawołał:

– Jeszcze jeden krok, uczniaku, a ona zginie na miejscu. A jak już twoja Layla będzie martwa, to co wtedy? Upewnisz się, że już nie wróci? Najlepiej, żebym spokojnie odszedł, mały Slattery, i zabrał tę sukę ze sobą. W taki sposób będzie żyć przynajmniej odrobinę dłużej. No chyba że wolisz wystrzelić bębenek akurat przez tę dziwkę prosto we mnie!

– Nie idziesz stąd nigdzie, Ned – Garth dusił słowa. A słysząc znajome głosy ojca i innych, którzy pojawili się za ogromnym drzewem, mówił dalej: – Twoja droga kończy się właśnie tutaj.

Ned widział zbliżających się mężczyzn: Zacha i Big Jona z przodu, Dona Myersa i głównego technika Fieldinga z tyłu, i zrozumiał, że wszystkie jego plany ostatecznie legły w gruzach. Nie było teraz żadnej możliwości, aby wymknąć się i zabrać Laylę ze sobą. Och, jak strasznie pożądał jej ciepłego, żywego ciała... ale w końcu byłaby tylko ciałem, gdyby już zrobił z nią, to co sobie wymarzył, zwykłym ciałem, i to wcale nie żywym, tylko nieumarłym.

Objął jej ramiona i obrócił dziewczynę twarzą do siebie, a potem zwrócił się do Gartha bez pośrednictwa słów:

– Jeden ostatni całusssss – „mówił" mu w jego umyśle. – Tak żebym mógł jej dać cząstkę siebie. Nie to, co jej chciałem włożyć, i na pewno nie tam, gdzie jej chciałem włożyć, ale wystarczająco dużo, żeby ją skazić. A potem problem będzie już twój, dzieciaku. Cha, cha, cha, cha!

Szczęki Neda otwarły się z trzaskiem i długi język wysunął się do ust dziewczyny. Layla z całej siły splunęła w jego siarkowo-żółte oczy i z całą siłą, jaka jej jeszcze pozostała, zaczęła się gwałtownie wić. I wyrwała mu się, kiedy szarpnęła tak mocno, że sukienka, za którą trzymał ją Ned, rozpruła się od ramienia i została w jego kościstych rękach.

Lecąc do tyłu, Layla straciła równowagę i całym ciężarem spadła na Gartha, zbijając go z nóg. Lufa jego karabinu zaryła się na kilka centymetrów w głąb miękkiego podłoża pokrytego liśćmi, kiedy przewrócił się, a dziewczyna upadła na niego. Pod ich połączonym ciężarem wiązadła w jego przegubie rozerwały się, gdy jego ręka uwięzła w plątaninie korzeni. Przeszył go tak straszliwy ból i wstrząs, że nie mógł powstrzymać mimowolnego, pełnego cierpienia sapnięcia. A co gorsza, jego broń przyjęła na siebie impet upadku i pękła na dwoje na wysokości zamka.

Ned Singer był rozdarty. Z jednej strony wiedział, że bez żadnego zamieszania z łatwością ucieknie do lasu prosto w noc. Ale z drugiej strony w ocenę sytuacji wmieszały się jego wampirze zmysły. Wokół ogromnego drzewa kłębiło się teraz sześcioro ludzi, sześć istot ludzkich i jeden latr, on sam. I mimo że ci, którzy przyszli jako ostatni, mieli ze sobą broń, to nie wystrzelono w jego kierunku ani jednego strzału! Garth ośmielił się zaryzykować wtedy z Laylą, a teraz upadł i jest ranny, i to poważnie, jak miał nadzieję Ned, a jego karabin nie nadaje się do niczego. Ale co z tamtymi? Oni też nie strzelali, pewnie dlatego… dlatego, że nie mogli! Czy o to chodziło?

Czy klan w końcu zużył ostatni nabój z tej uszkodzonej amunicji? W takim razie Ned, w pełni świadomy, jak małe były zapasy, był to w stanie zrozumieć. Rzeczywiście tak musiała się przedstawiać sytuacja, przynajmniej w wypadku tej grupy.

Tak musiało być, nie ma żadnego innego wytłumaczenia, by wyjaśnić to!

I w jego zepsutym, czarnym sercu na nowo zapłonęła nadzieja. Dziewczyna może jeszcze należeć do niego, a przynajmniej jeden z jego wrogów, a może nawet wszyscy, może być martwy! Skoro ich broń do niczego się nie nadaje, to jak mogliby się obronić przed zwodniczą siłą, sprytem wampira i nieczułą dzikością stworzenia takiego jak Ned? Krótko mówiąc teraz, kiedy nie mają śmiertelnej broni palnej, jakże mogliby zabić kogoś, kto jest już martwy?

Wszystko to przemknęło przez jego ciągle degenerujący się umysł odmieńca zaledwie w kilka sekund. Ned zignorował nowo przybyłych, pochylił się i znów sięgnął po przerażoną dziewczynę i po raz trzeci postawił ją na nogi. Zawsze najważniejsza, w samym centrum jego planu, a teraz jeszcze naga i piękna, Layla była wszystkim, o czym on mógłby myśleć, czego mógłby pożądać. A co do zemsty na wrogach z klanu to musi zaczekać, aż on przemieni dziewczynę i zabierze ją daleko. Wtedy jakiejś innej nocy, uzbrojony w świeże plany i z rojem złożonym z nowych latrów, wróci. Kto wie, Layla mogłaby nawet wrócić z nim!

Ze względu na szybko postępującą degradację Ned nie zdołał tego sobie uświadomić, ale ignorowanie członków klanu było jego największym i ostatecznym błędem.

Big Jon nagle stanął obok niego, jakby pojawił się znikąd, z zaciśniętymi wargami, zgrzytając zębami, a jego twarz wyrażała najczystsze obrzydzenie. Ciężka maczeta lidera klanu błysnęła poderwana ku górze i z ciężarem gilotyny opadła na przeguby obu rąk Neda, którymi sięgał po Laylę!

Kiedy potwór stał tam, kiwając się oszołomiony na prawo i lewo niczym pijak i z niedowierzaniem wpatrując się w ociekające żółtą cieczą kikuty, Garth wstał, chwycił Laylę i potykając się, zaprowadził ją w bezpieczne miejsce. Tymczasem podszedł Andrew Fielding, przepychając się przez innych i krzycząc na głos:

– Z drogi! Jest mój! Położę tę bestię jednym strzałem!

Kiedy rozstąpili się przed nim, wycelował czy raczej wskazał swoim brzydkim pistoletem Neda Singera, zamknął oczy i nacisnął spust. Szarpiące nerwy gwałtowne opróżnienie dwóch bębenków w krócej niż sekundę sprawiło, że niewysokiego i normalnie nieszkodliwego głównego technika odrzuciło do tyłu, aż usiadł, i zostawiło silny zapach dymu z lufy oraz cierpki smród kordytu.

Jednak o wiele większy impet strzałów niemal rozerwał Neda na dwoje, rozpruwając jego galaretowate ciało od pachwiny do eksplodującej czaszki i bez słowa protestu z jego strony wysyłając go do piekła latrów, które jest ostatecznym celem stworzeń takich jako on, kiedy spotka je prawdziwa śmierć…

Potem, kiedy ucichło już przenikliwe dzwonienie w ich uszach, a ich zmysły na nowo zaczęły odbierać bodźce, i kiedy główny technik wyrzucił już z siebie wszystkie nieartykułowane przekleństwa, odrzuciwszy od siebie daleko swój gorący, dymiący pistolet maszynowy, to wszystkim, a zwłaszcza młodemu mężczyźnie i dziewczynie, trudno było uwierzyć, że to naprawdę koniec.

Garth pocieszał Laylę, otulając ją swoją kurtką i zamykając w mocnym uścisku. Nie mogąc wydobyć z siebie głosu, trzęsąc się od stóp do głów, mogła tylko wtulić się w niego i szlochać na jego piersi. Wreszcie znalazła w sobie tyle siły, by zapytać:

– Garth, czy to… czy to…?

Na co on skinął głową i ignorując ból w przegubie, przytulił ją do siebie jeszcze mocniej. Bo to rzeczywiście był już koniec.

Pomógłszy Fieldingowi wstać, Don Myers wpatrywał się długo w odrzucony na bok dymiący pistolet maszynowy, a potem na drobną sylwetkę głównego technika, zanim wreszcie wyjąkał:

– A-ale co? Ty, Andrew? A-ale jak?

– Ironia losu, prawda? – wysapał Fielding, otrzepując się z pyłu rozdygotanymi rękoma. – A może powinienem to nazwać poetycką sprawiedliwością? Ten straszny pistolet był kiedyś bronią samego Singera.

– Ale ty, mój przyjacielu! – Big Jon mówił głośno z miejsca, gdzie stał obejmowany ramieniem przez Zacha i opierał się o niego. – I taki wielki, paskudny brzydki pistolet…

– Miał go Arthur Robeson – wyjaśnił główny technik. – Można chyba powiedzieć, że go odziedziczył. Nie umiał go naprawić i przekazał mnie, żebym to zrobił. To było wcześniej, tej samej nocy, kiedy się tu rozkładaliśmy. Zawsze nienawidziłem pistolety, ale w każdym razie mogłem rzucić okiem. Problem był w mechanizmie spustu, złamana sprężyna. Naprawiłem go, usunąłem blokadę zamka, żeby na wszelki wypadek nie wystrzelił, przetestowany z użyciem specjalnej amunicji dołączonej do pistoletu, i mimo że właściwie nie wypaliłem ani razu z tej ślicznotki, uznałem, że będzie działać. Więc po ponownym zmontowaniu wszystkiego w całość położyłem się spać. – Przerwał na moment, żeby zebrać myśli, i opowiadał dalej: – Kiedy obudził mnie pierwszy wystrzał od strony strażników… No cóż, byłem zmęczony, było ciemno i wszystko wydawało się bardzo zagmatwane. Wziąłem pistolet ze sobą, nie pytajcie mnie, dlaczego, może żeby go dać komuś, kto potrafiłby go użyć? I poszedłem szukać Big Jona. I… no cóż, to wszystko – skończył, wzruszając ramionami.

– Ale nie dałeś go nikomu – zmarszczył brwi Donald Myers, potrząsając głową w zadziwieniu. – A potem użyłeś go naprawdę dopiero w ostatnim momencie!

– Tak, wiem – odparł Fielding. – Ale jak powiedziałem, nie lubię mieć do czynienia z bronią. Naprawdę nie rozumiem ani jej, ani ludzi takich jak Ned Singer, którzy się do niej tak strasznie przywiązują. Więc widzisz, Donald, to całkiem jak z tym, że musiałeś mi przypominać o odbezpieczeniu broni. Ja mógłbym o tym nie pomyśleć, mógłbym też po prostu nie chcieć o tym myśleć…

– Ale to cały ty, Andrew! – powtórzył Big Jon. – To po prostu cały ty, to znaczy…

– Wiem dokładnie, co to znaczy! – niski mężczyzna szybko mu przerwał. – Ale nigdy nie zrozumiesz, jak bardzo nienawidziłem tego człowieka! Był brutalem, bezmyślną świnią, a w końcu latrem. Dawniej go unikałem, schodziłem mu z drogi! Mógł mnie popychać, traktować jak śmiecia, ale dziś czuję się tak wysoki jak nigdy dotąd i tak z siebie zadowolony, jak mi się jeszcze nie zdarzyło w całym moim życiu! Choć z drugiej strony – lekko wzruszył ramionami – niespecjalnie się przejmuję tym uczuciem, to znaczy tym, że czuję się jak zabójca, chociaż przecież nie zabiłem człowieka, ale ohydnego odmieńca. Mam nadzieję, że to uczucie wkrótce wygaśnie. A jeśli chodzi o pistolety, to skończyłem z nimi na zawsze!

I odwrócił się oparty na silnym ramieniu Dona Myersa...

* * *

Niecałą godzinę później, w pobliżu pojazdu Big Jona, lider i mała grupa jego przyjaciół oraz starszyzna klanu, łącznie z Zachem i Garthem Slatterym, powitali gorąco i szczerze, z najgłębszą wdzięcznością i wszelkimi możliwymi sposobami wyrażenia gościnności, dowódcę i poruczników ekspedycji z północy, która przybyła im na ratunek. A kiedy cały tłum przedstawicieli klanu, wspomagany przez ich nowych sojuszników, zabrał się za straszną pracę oczyszczania okolic obozu, gdzie do tej pory leżały ciała ludzi i nieumarłych, tym razem już naprawdę umarłych, którymi trzeba było się zająć, Big Jon i trzej starsi oficerowie zaprzyjaźnionego wojska zakończyli formalności: pozdrowienia, prezentacje, śluby przyjaźni i poklepywanie się po plecach, a potem przeszli do omawiania tego, co się ostatnio wydarzyło.

Big Jon, opowiedziawszy znacznie skróconą historię żmudnej podróży klanu, teraz ustąpił miejsca dowódcy armii ekspedycyjnej.

Dowódca, wysoki, barczysty mężczyzna niewiele po trzydziestce, z zapadłymi policzkami, głęboko zmarszczonymi brwiami i mnóstwem przedwcześnie posiwiałych włosów, szybko wtajemniczył zebranych w to, co działo się w zaprzyjaźnionej społeczności.

– Gdy straciliśmy z wami kontakt – zaczął – nasi liderzy w obu szybko upadających podziemnych schroniskach, a także w naziemnej osadzie znaleźli się w niełatwym położeniu. Ta niewyjaśniona radiowa cisza mogła być skutkiem prostej awarii wyposażenia, ale także okoliczności o wiele bardziej niepokojących: być może ataku latrów, w którym cały twój konwój, klan i dobytek mógł zostać zniszczony! Nie było sposobu, aby się tego dowiedzieć.

Po rozważeniu wszystkich argumentów za i przeciw w końcu znaleźli rozwiązanie. Zetlałe przedwojenne mapy wskazywały trzy prawdopodobnie przejezdne trasy od twojego ostatnio potwierdzonego przybliżonego miejsca pobytu do bardziej przyjaznych, bezpiecznych granic. Granice te sięgają nie dalej niż dwanaście mil od północnego skraju doliny! Gdybyście przetrwali niebezpieczeństwa waszej podróży, wtedy pewnie wasz konwój musiałby być bardzo blisko, o ile podążalibyście wzdłuż jednej z tych tras.

Decyzja została podjęta: armia ekspedycyjna miała dotrzeć do krawędzi gęsto zalesionego południowego regionu z urodzajnymi, przeważnie wolnymi od promieniowania strefami, które oczyściliśmy z latrów. Jak tylko zabudowaliśmy i zajęliśmy te tereny, uznaliśmy je za naszą ojczyznę. Patrolujemy ją stale dniem i nocą z absolutną czujnością, a kiedy to tylko jest konieczne, z najwyższą zaciekłością, nie pozwalając, aby widok, zapach czy choćby najsłabszy ślad obecności jakiegoś wampira pojawił się w... w naszym... w naszych granicach!

Przerwał, wyraźnie uspokajając samego siebie i wzruszając ramionami przepraszająco, a potem wrócił do swojej opowieści.

– Proszę o wybaczenie, ale takie emocje, taka gorzka nienawiść jest powszechna wśród nas wszystkich, a jak sądzę, nieobca także i wam. Ale do rzeczy.

W obrębie wielkiego lasu nasze znaczne siły po równo rozdzieliły się na trzy drogi, co pozwoliło nam podążać wzdłuż wszystkich trzech tras równocześnie. To było w południe dwa dni temu, i od tamtej pory utrzymaliśmy stały kontakt radiowy. Mój kontyngent, który, jak widzieliście, składa się z trzech małych opancerzonych załogowych pojazdów bojowych obsadzonych przez ogromnie doświadczonych ludzi, a także z dodatkowych ośmiu członków eskorty na czterech wieloterenowych motocyklach, oraz z opancerzonego pojazdu transportowego, otrzymał zadanie podążania z trasą leśną, która prowadzi starożytną drogą rzeczną przez potężne lasy sosnowe i przez dno doliny. Dwa wieczory temu, czyli w wieczór poprzedzający zeszłą noc, wysłałem przed sobą dwóch członków zespołu eskortującego, aby kierując się w dół doliny zaczęli sprawdzanie trasy, ponieważ byłoby marnowaniem paliwa, czasu i wysiłku, gdyby trasa okazała się nieprzejezdna.

To był wczesny wieczór, kiedy mój oddział zwiadowczo-eksploracyjny wyruszył. Zszedłszy na gęsto zalesioną północną wyżynę położoną w pobliżu rzeki, rozłożyli na noc obóz w jaskini, którą w razie konieczności mogliby bardzo łatwo obronić, przy czym zawsze dwóch ludzi miało czuwać, a dwóch odpoczywać. Ale przed zajęciem jaskini jeden człowiek wspiął się na górę na koronę najwyższego drzewa, aby obejrzeć dokładnie południową część terenów położonych wzdłuż rzeki przez swoją lornetkę na podczerwień. Rzecz jasna szukał oznak bytności waszego konwoju.

I tak, wiecie z pewnością, że aktywność wampirów bez problemów da się wykryć za pomocą podczerwieni. Chyba że gromadzą się już w roju albo kiedy angażują się w szał krwawych porachunków i łowów, gdyż wtedy temperatura ciała nieumarłych staje się niezmiernie niska. Jakkolwiek wówczas było, mój człowiek na szczycie tego drzewa w odległości czterech albo pięciu mil w mroku wczesnej nocy dostrzegł coś, co było zdecydowanie aktywnością latrów! Płynęły w dół południowego zbocza szerokim strumieniem, podążając identyczną trasą, jaką mógłby jechać wasz konwój, i z której istotnie skorzystaliście zaledwie jeden dzień później.

Ale ich ruchy były bardzo przemyślane. Miały ustalony cel i konsekwentnie realizowały swoje przebiegłe, ukryte zamiary, które pod żadnym względem nie zgadzały się z żadnym arbitralnym czy też ekscentrycznym trybem postępowania nieumarłych, z żadną taktyką, która w ich wypadku oznacza często kompletny brak takowej, z żadnym sposobem działania, do którego jesteśmy przyzwyczajeni! Mój człowiek był zafascynowany i dalej prowadził swoje obserwacje.

Horda zebrała się tutaj, dokładnie w tym miejscu, na krawędzi lasu, i przez chwilę pozostała w bezruchu. Następnie większość latrów, o ile nie wszystkie, wyruszyła ponad tym częściowo zatopionym mostem i zniknęła w tych przeważnie porzuconych młynach w oddali. Pamiętajcie: to była pora nocna, która jest dla nich porą łowów, jednak te stworzenia nie polowały, lecz się ukrywały! Mogły mieć tylko jeden cel: zasadzkę.

Pozwólcie, że nieco skrócę tę długą historię. Na godzinę przed południem wczoraj jedna z moich jednostek patrolowych zgłosiła mi podejrzane zachowania latrów, w wyniku czego spędziliśmy całe popołudnie, jeżdżąc po okolicy na motorach albo trzymając się rzeki i penetrując tak cicho, jak było to możliwe, las i dolinę.

Przed zmierzchem rozbiliśmy nasz tymczasowy obóz jakieś trzy mile na północ stąd w lesie wzdłuż rzecznej drogi, która ocalała, jakkolwiek w niezbyt dobrym stanie, i zdążyliśmy akurat na czas, aby zobaczyć tyły waszego konwoju, czy też raczej ich pozostałości. Byliśmy świadkami tego, jak po omacku i wśród jęków doszliście do południowej ściany lasu. Wybaczcie mi, proszę, sformułowanie, ale był to doprawdy żałosny widok.

– Ha! – wykrzyknął Bert Jordan, pstryknąwszy palcami. – Zobaczyliście i sami zostaliście zobaczeni, chociaż źle zinterpretowałem to, co zobaczyłem!

A Big Jon pokiwał głową.

– Twój grzmot i błyskawica, co, Bert?

– Na pewno – odpowiedział Bert – To musiały być światła ich reflektorów, jak penetrowali korony drzew, i silniki, kiedy zajmowali pozycje.

W tym momencie dowódca podjął przerwaną opowieść:

– Tak, i zajęliśmy te pozycje, abyśmy, gdy nadejdzie czas, byli w pełni przygotowani, gotowi do zaatakowania wroga z całą dostępną nam szybkością i z bronią w zasięgu ręki.

Spokojny dotychczas Garth zmarszczył brwi i spytał:

– A kiedy nadszedł czas?

– Ach! – powiedział dowódca. – Oczywiście wtedy, kiedy latry rozpoczęły chwytanie przeciwników w swoją zasadzkę.

Big Jon był wyraźnie zaintrygowany. Zmarszczył brwi tak samo jak Garth i zapytał:

– Ale nie wcześniej, zanim ktoś w nią wpadnie?

– Ach! – odpowiedział dowódca raz jeszcze. – Pytasz, dlaczego czekaliśmy tak długo. Proszę o zrozumienie, nigdy nie marnujemy okazji, by zniszczyć nieumarłych, gdziekolwiek ich znajdziemy. Podejrzewana przez nas liczebność roju była tak ogromna, że zapowiadało się miażdżące zwycięstwo! Jednakże ponieważ nasze pojazdy bojowe nie były w stanie przejechać przez kruchy most, musieliśmy czekać na latry, aby przyszły do nas, czy też raczej do was. W rezultacie przygotowaliśmy zasadzkę, żeby złapać tych, którzy sami przygotowali zasadzkę! Ale... niech nie przejdzie wam nawet przez myśl, że celowo ryzykowaliśmy życiem członków klanu. Przeciwnie, obserwowaliśmy waszych obrońców pilnujących rozstajów dróg, i obliczaliśmy, czy będą w stanie powstrzymać wampiry, kiedy zaczną przeprawiać się przez most wąskim strumieniem. Ponadto wiedzieliśmy, że zajmie to jedynie kilka minut, by zapanować nad całym tym obszarem, i nie pomyliliśmy się co do tego.

Przeliczyliśmy się tylko w jednej kwestii: nie przewidzieliśmy, że brakuje wam broni, i w rezultacie synchronizacja musiała być naprawdę bardzo dokładna. Na szczęście nie doprowadziło to do żadnych szkód. Ale oczywiście nie mogliśmy wiedzieć, że latry zastosują manewr okalający, a także umieszczą dodatkowy oddział w koronach drzew. Opłakujecie teraz swoich zmarłych, a my razem z wami, niemniej jednak możemy być wdzięczni, że straty, jakkolwiek poważne, nie są jednak tak tragiczne, jak mogłyby być.

A teraz, kiedy się wreszcie połączyliśmy, a wy przeszliście już przez najgorszą próbę, pozwólcie, że wyrażę wdzięczność prostymi słowami: wszystko dobre, co się dobrze kończy!

– Całym sercem się z tym zgadzamy! – Big Jon energicznie potrząsnął dłonią dowódcy. – Życzyłbym sobic tylko, żebyśmy byli w stanie wnieść więcej w ten sojusz, znacznie odpowiedniejszy wkład. To wasza obietnica lepszego życia i przyszłości na powierzchni ziemi, w bezpiecznym świetle dnia podnosiła nas na duchu i dawała nam nadzieję podczas naszej podróży.

– Ależ nie! – dowódca, uśmiechając się szeroko, potrząsnął głową. – My potrzebujemy ciebie i twojego klanu przynajmniej tak samo, jak ty potrzebujesz nas. Widziałem wasze zwierzęta, które utuczymy na czystych pastwiskach na północy i skojarzymy z naszymi, poprawiając jakość żywego inwentarza. A jeśli chodzi o twoich ludzi... – rozejrzał się wokoło po oświetlonych lampa-

mi twarzach ludzi, którzy zaczynali się już z wolna gromadzić.
– Widzę tu wielu odważnych i dobrych, którzy nie poddali się
strachowi i terrorowi latrów. I jeszcze wasza młodzież, a zwłaszcza ci, którzy niedługo osiągną dojrzałość… Cóż, my również
mamy młodzież, a teraz nie musimy się już obawiać niebezpie-
czeństw endogamii. Naprawdę nasza wspólna krew będzie jeszcze silniejsza i czystsza, już nigdy nie będzie pokarmem odraża-
jących latrów! Tak!
    – Tak! Tak! – zgromadzeni natychmiast podchwycili okrzyk,
który szybko rozprzestrzenił się po całym obozowisku…

* * *

    Niespełna godzinę później Jon Big Lamon, Garth i jego oj-
ciec stali w milczeniu, łącząc się z tymi, którzy niegdyś należeli
do klanu, a teraz byli już członkami innej, większej wspólnoty.
Obecni na uroczystości sprzymierzeńcy rozpalili ogień z dala od
ściany lasu. Wszyscy patrzyli, jak płomienie pochłaniają ciała
przyjaciół i wrogów.
    Tym pierwszym mieli do zaoferowania smutne, ciche pożeg-
nania, a tym drugim najwyższą satysfakcję. Smród był straszny,
ale stali tam wytrwale, dopóki nie pozostał jedynie pałający
żar…

* * *

    A jeszcze później, otuleni nawzajem swoimi ramionami,
Garth i Layla śnili o pięknych pastwiskach, drewnianej chatce
w zagajniku wysoko na wzgórzu i małych dzieciach, śmiejących
się i biegających w sadzie obsypanym różowym kwieciem. Ale
o ile zbudowanie chatki wymaga trochę czasu, a wychowanie
dzieci jeszcze więcej, to sam sen nie jest tak odległy, bo już jutro
może połączyć się z rzeczywistością…